JACOB PETRY

O ÓBVIO QUE IGNORAMOS

Como simples atitudes podem fazer você obter sucesso em tudo que realiza

COPYRIGHT © JACOB PETRY, 2020
COPYRIGHT © FARO EDITORIAL, 2020

Todos os direitos reservados.
Nenhuma parte deste livro pode ser reproduzida sob quaisquer meios existentes sem autorização por escrito do editor.

Diretor editorial PEDRO ALMEIDA
Coordenação editorial CARLA SACRATO
Capa e diagramação OSMANE GARCIA FILHO
Imagens de capa JACQUI MARTIN E R.CLASSEN | SHUTTERSTOCK

Dados Internacionais de Catalogação na Publicação (CIP)
Angélica Ilacqua CRB-8/7057

Petry, Jacob
   O óbvio que ignoramos / Jacob Petry. — São Paulo :
— São Paulo : Faro Editorial, 2018.
   192 p.

   ISBN 978-65-86041-06-4

   1. Sucesso 2. Sucesso nos negócios 3. Prosperidade
I. Título

20-1051　　　　　　　　　　　　　　　　　　CDD 158.1

Índice para catálogo sistemático:
1. Sucesso 158.1

1ª edição brasileira: 2020
Direitos de edição em língua portuguesa, para o Brasil, adquiridos por FARO EDITORIAL

Avenida Andrômeda, 885 – Sala 310
Alphaville – Barueri – SP – Brasil
CEP: 06473-000
www.faroeditorial.com.br

Para Arlindo J. Rusczyk, pelos exemplos de coragem e integridade.
Para Ryan Jolley, pelos exemplos de fé e amizade.
Para meus pais, pelos exemplos de vida.

SUMÁRIO

CAPÍTULO 1: O SEGREDO POR TRÁS DA BELEZA   9

CAPÍTULO 2: A SÍNDROME DO EXCESSO DE OPORTUNIDADES   29

CAPÍTULO 3: A LEI DA TRIPLA CONVERGÊNCIA   51

CAPÍTULO 4: AS TRÊS REGRAS DO PRIMEIRO QUILÔMETRO   71

CAPÍTULO 5: A LIÇÃO DE DELFOS   99

CAPÍTULO 6: O PARADOXO DA INTELIGÊNCIA   121

CAPÍTULO 7: O PODER DAS CONVICÇÕES   141

CAPÍTULO 8: FOCO, TEMPO E O PROBLEMA DO SENTIDO   161

CAPÍTULO 9: O EFEITO PIGMALEÃO   181

CAPÍTULO 10: OS ANOS DE SILÊNCIO   201

AGRADECIMENTOS   223

NOTAS   226

CAPÍTULO 1

O SEGREDO POR TRÁS DA BELEZA

O ponto de partida de todas as pessoas que têm sucesso

Paulo Francis batia com a mão na mesa, reclamando com a equipe no escritório da Rede Globo em Nova York:

— Por que tenho sempre de entrevistar gente aborrecida? Eu quero a "Gisela".

Uma semana depois, o jornalista, então com 65 anos, estava frente a frente com a modelo. O encontro ocorreu no Circus, um restaurante de comida brasileira a duas quadras do Central Park.

Gisele chegara de São Paulo havia pouco tempo. Tinha 15 anos e não falava mais que meia dúzia de palavras em inglês. Seu sucesso, na época, era modesto: algumas dezenas de desfiles e apenas duas capas de revista, para a *Capricho* e para a *Marie Claire*, ambas brasileiras. Francis, dono de um estilo contundente e sarcástico e sempre temido, mostrava-se surpreendentemente doce naquele dia.

— Você é menina ou mulher? — perguntou.

Gisele riu. Fez um movimento com seus cabelos loiros.

— Mulher, claro.

Francis se aproximou um pouco mais. Tocou a grossa armação de seus óculos. Fixou-se nos olhos azuis de Gisele e, quase num sussurro, galanteou:

— E se eu te disser que você é a mulher mais bonita do mundo?

Gisele riu outra vez. Disfarçou. Decerto não sabia o que dizer.

Por causa de um infarto fatal, no ano seguinte, Francis não viu sua musa subir ao topo. Gisele foi muito além do que ele podia imaginar. O título de mulher mais bonita do mundo foi conquistado *oficialmente*. Gisele tornou-se multimilionária. Foi considerada também uma das cem pessoas mais influentes do mundo. E tudo isso em menos de uma década.

O que a então pouco conhecida Gisele tinha que Francis, observador arguto, notou imediatamente?

O enigma de Tamayo

O Upper West Side é um bairro que fica no lado oeste da ilha de Manhattan, acima da Rua 59, entre o Central Park e o rio Hudson. O local transpira tranquilidade. É conhecido como um dos dez bairros residenciais mais caros dos Estados Unidos por hospedar a classe cultural e artística de Nova York.

Elizabeth Gibson é uma escritora que mora na Rua 72. É alta, loira e elegante. Numa manhã de sábado, em março de 2003, ela saiu em direção à Broadway, a poucas quadras de onde mora. Como fazia todas as manhãs, tomaria café num charmoso Starbucks. Quando chegou à esquina da sua rua, em frente ao prédio residencial Alexandria, viu uma tela enorme abandonada entre dois sacos de lixo. A pintura era quase inteiramente abstrata, mas distinguiam-se um homem, uma mulher e uma figura andrógina, num misto vibrante de roxo, laranja e amarelo, com uma delicada cobertura de areia. Elizabeth parou por um instante, observou a obra, intrigada, e seguiu seu caminho.

Porém, continuou pensando na tela enquanto tomava café. Algo a impelia a voltar ao local e fazer uma segunda avaliação. "Aquela pintura tinha algo muito poderoso", contou ela mais tarde. Ainda tentou se convencer do contrário: o quadro era muito grande e não caberia no apartamento e a moldura destoava, de tão barata. Ainda hesitante, acelerou o passo no percurso de volta. Temia já não encontrar seu achado. Por sorte, ele ainda estava lá. A segunda impressão foi ainda mais impactante, e Elizabeth levou a tela consigo.

Em casa, arrumou um lugar na parede da sala. Na manhã seguinte, ao passar pelo Alexandria, abordou o porteiro e perguntou-lhe se, por acaso, não vira alguém deixar uma tela no lixo no dia anterior. Perguntou também a alguns moradores que saíam do prédio. Ninguém sabia de nada. A situação toda a perturbava. Telefonou para um amigo que trabalhava numa casa de leilões e contou-lhe sobre o quadro. "Ele me perguntou se a pintura havia sido assinada. Eu disse que havia, sim, um nome rabiscado no canto superior direito, mas tudo que eu conseguia entender era 'Tamayo 0-70'". Ela acreditou, por segundos, que talvez descobrisse algo sobre a obra. "Mas ele não se interessou por aquele mistério como eu e desligou, dizendo que me procuraria caso descobrisse alguma coisa", relembrou Elizabeth.

Meses depois, ao mudar a tela de lugar, deu-se conta de que havia carimbos estampados no verso. Um era do Museu de Artes Modernas de Paris. Outro, da Perls Gallery, uma antiga casa de artes de Manhattan, que havia fechado em 1996. E um terceiro, da galeria Richard Feigen, também de Manhattan. "Cada vez mais me convencia de que a pintura era valiosa", explicou. Telefonou, então, para a galeria Richard Feigen, mas o enigma persistia: não havia por lá registro algum da tela.

Passado quase um ano, Elizabeth, ainda intrigada, contou toda a história a um estudante de artes que conheceu por acaso. Dias depois, ele trouxe um catálogo no qual constava uma pintura de um mexicano chamado Rufino Tamayo, vendida por 500 mil dólares. "Fui até a biblioteca da universidade onde o rapaz estudava e lá encontrei uma pilha de livros sobre Tamayo", lembrou ela. Um deles tinha na capa nada menos que a pintura encontrada no lixo. Agora que ela sabia que pintor e obra eram famosos, uma nova pergunta não a deixaria dormir: seria a tela original? Elizabeth achou melhor não deixar a obra exposta na sala. Com a ajuda de uma amiga, criou uma parede falsa no fundo do seu closet. Com cuidado, envolveu o quadro em cortinas velhas e escondeu-o ali, decidindo não falar mais publicamente sobre a tela.

Tempos depois, leu que uma rede de televisão do estado de Maryland retransmitiria um documentário sobre obras-primas desaparecidas, incluindo uma obra de Tamayo. Elizabeth não teve dúvida de que ali estaria a informação que tanto procurava. Mas havia um problema: a emissora cobria a região de Baltimore, em Maryland, e Elizabeth estava em Nova York. Decidida a não perder a oportunidade, certificou-se de que chegaria a tempo e entrou no primeiro ônibus para Baltimore. Chegou ao hotel em cima da hora. No quarto, largou a bolsa sobre a cama. Começava, enfim, o programa que esclareceria o mistério que para ela já tinha quatro anos. A tela *Tres personajes*, pintura original de Rufino Tamayo, havia sido roubada de um casal em Houston, no Texas, duas décadas antes. Objeto de investigação do FBI, seu valor estimado era de 1 milhão de dólares. Assim que retornou a Nova York, Elizabeth agendou uma reunião com August Uribes, diretor da Sotheby's, famosa casa de leilões, entrevistado pelo programa. Ao chegar à casa dela, Uribes reconheceu imediatamente a tela: era de fato a obra original.

O que fez Elizabeth, que nunca entendeu muito de arte, intuir desde o primeiro dia que o quadro encontrado no lixo era valioso? Por que, durante tanto tempo, ela fez o possível para desvendar esse mistério? De onde veio o poder que tanto intrigou Elizabeth? Que segredo, afinal, esconde-se por trás da beleza?

O poder do discurso simples

·Em julho de 2004, numa convenção nacional do Partido Democrata americano, um jovem político de 43 anos subiu ao palco. Seu nome: Barack Hussein Obama. Até ser escolhido para fazer um pronunciamento naquela convenção, Obama era praticamente desconhecido no meio político americano. Sua área de atuação se restringia ao estado de Illinois, onde, em 1996, havia sido eleito membro do legislativo local. Fora isso, atuara como líder comunitário, advogado e professor de direito constitucional na Universidade de Chicago. Em 2000, tentara eleger-se para o Congresso americano e não conseguira. Apesar desse fracasso, anunciou, três anos depois, sua candidatura ao Senado. Obama venceu as primárias do partido mesmo enfrentando uma luta desigual contra políticos tradicionais. A vitória fez com que o escolhessem para orador de honra na convenção nacional. Era tudo de que Obama precisava. Ao final de quinze minutos, seria um ídolo nacional. Esse pronunciamento entrou para a história como "O discurso".

Enquanto falava, Obama foi capaz de retirar as pessoas de onde estavam e transportá-las para os diversos lugares que marcaram sua longa trajetória familiar. Levou-as por um passeio pelas vilas pobres do Quênia, onde seu pai nasceu. Depois, trouxe-as para as fazendas do Kansas, terra natal de sua mãe. Em seguida, levou-as, com seu avô, ao Havaí. Depois, seu percurso subiu até Harvard, onde se graduou, e logo desceu outra vez para os lugares mais pobres de Illinois, nos quais, mesmo tendo um diploma de primeira linha, prestou serviços comunitários por anos. Partindo de diferenças, Obama criou semelhanças. Ele uniu cores, nações, raças, crenças e posições sociais. "Num país como os Estados Unidos, o nome de uma pessoa não deve ser um problema para alcançar o sucesso", disse ele para justificar seu nome incomum, desassociando-o de inimigos como Saddam Hussein e Osama Bin Laden.

No final do discurso, quando disse a última frase, Obama havia transformado sua história pessoal na história de cada americano. Seu discurso franco cativou o coração de milhões de pessoas.

Provavelmente, você já presenciou um momento parecido. Um professor, um palestrante, um líder empresarial sobe ao palco e encanta com a mesma elegância simples, porém mágica, de Obama. É a mesma sedução de um quadro valioso, como o de Tamayo, e de uma jovem modelo prestes a se tornar a melhor do mundo. São exemplos do misterioso fascínio que algumas pessoas e alguns objetos exercem sobre nós. De onde vem esse poder? Que segredo se esconde por trás de formas de beleza tão diferentes?

Deparei-me com esse mesmo fenômeno ao visitar o Museu Nacional Reina Sofia, em Madri, no verão de 2006. Ansioso, eu avançava pelas galerias do museu quase sem reparar nas outras obras. Queria realizar um sonho de infância: ver *Guernica*, a famosa pintura de Pablo Picasso, uma das mais conhecidas no mundo. Pintada em 1937, ela retrata o bombardeio da vila de Guernica, ocorrido durante a Guerra Civil Espanhola. Trata-se de uma imensa tela de 3,5 metros de altura e quase 8 metros de largura. As imagens em preto e branco, com leves tons azulados, são à primeira vista confusas, indefinidas e quase incompreensíveis.

Ao avistar o quadro, minha primeira impressão nada teve de espetacular. "O que há de especial nisso?", perguntei-me. E a primeira resposta que se pode dar a essa pergunta é: nada, pelo menos aparentemente. Não é o que se pode considerar um quadro "belo", pois ali está representado todo o horror. Decidi, então, explorar a pintura com mais cuidado, e logo o encanto se revelou. As cenas de morte, violência, brutalidade, sofrimento e súplica que compõem a obra finalmente me tocaram.

O que eu via, então, não era mais a Guernica representada por Picasso, mas algo bem mais poderoso. Senti fluir, a partir da pintura, um sentimento de dor, de agonia, de compaixão. Da tragédia ocorrida na Espanha, o quadro me levou aos mais distintos cenários de violência e sofrimento humano, do Iraque ao Afeganistão, de Ruanda às favelas do Brasil, das dores do mundo às minhas próprias dores.

Quando deixei o museu, eu estava intrigado. A excepcionalidade de *Guernica* não está propriamente em seus traços, mas fluindo por eles. Existe uma beleza que ultrapassa o que vemos na tela.

Gisele e o conceito de beleza

Pense na seguinte questão: Gisele Bündchen é, realmente, a mulher mais bonita do mundo? Claro que não. Ela é uma mulher linda, isso é inquestionável; porém, qualquer um concorda que, se saíssemos por aí com o objetivo de encontrar mulheres bonitas, poderíamos encontrar algumas mais bonitas que ela. Até a própria Gisele não se considera tão bonita assim. "Eu achava que era a pessoa mais estranha que já andou na face da terra", disse ela certa vez, referindo-se à sua adolescência. No colégio, era chamada de Olívia Palito e de Saracura. No início da carreira, foi recusada constantemente. Diziam que seu jeito de andar era esquisito. E tinha um nariz muito grande, razão pela qual, segundo os especialistas em moda, ela jamais conseguiria fazer uma capa de revista. Ainda hoje, ela mesma acha que seu nariz não é o ideal. Antes da fama, também implicava com seu cabelo. Como qualquer adolescente, vivia fazendo escovas e inventando cortes.

Se é assim, o que Paulo Francis — e depois o planeta inteiro — viu em Gisele a ponto de considerá-la a mulher mais bonita do mundo? Como ela conseguiu passar essa impressão? Mais especificamente, qual é o segredo por trás da beleza de Gisele Bündchen?

Para responder a essa pergunta, temos de voltar ao item anterior, em que eu disse que, ao deixar o Museu Reina Sofia, em Madri, tive a impressão de que a excepcionalidade da obra *Guernica* não está propriamente em seus traços, mas flui por eles. A mesma certeza me acompanha quando vejo o desempenho de pessoas como Gisele, Obama e tantas outras. Se, no caso de Gisele, essa força não é a beleza física, como somos levados a pensar, que força é essa?

Vamos analisar o que alguns profissionais que cercam Gisele disseram sobre ela. "Gisele é a expressão máxima da vocação para o que faz", afirmou o fotógrafo brasileiro Bob Wolfenson, que trabalha com a modelo desde que ela estreou aos 14 anos. No início da carreira, num dos primeiros ensaios que Gisele fez, Wolfenson disse a ela: "Chore." E Gisele chorou. "Ela é um gênio na passarela e na frente das câmeras", elogiou Wolfenson, que completou: "Há uma palavra-chave que define seu potencial: autocontrole". Steven Meisel, um dos fotógrafos internacionais mais reconhecidos no mundo da moda, afirmou a mesma coisa: "Gisele é uma camaleoa e uma boa atriz", argumentou. "Ser atriz faz parte do ofício de modelo", explicou. "Ela é capaz de encarnar, com uma facilidade incomum, uma série de emoções distintas." A opinião de Meisel e Wolfenson foi reforçada pela estilista Donatella Versace. "Seu estilo dá vida à roupa, tornando-a expressiva e sexy", revela.

O interessante é que nenhum dos três depoimentos faz referência à beleza física de Gisele. O que Meisel, Wolfenson e Donatella exaltam é a habilidade e o talento que ela possui para encarnar diferentes papéis e expressar emoções de forma genuína ao se apresentar na passarela ou em frente às câmeras. Não é apenas sua beleza física, mas como ela faz o que faz, que a diferencia. Essa parece ser a chave do mistério de todas as histórias de sucesso. Assim como a pintura de Picasso, o discurso de Obama e o quadro de Tamayo, a beleza de Gisele é o resultado de uma força que flui por ela, seu talento natural aprimorado à perfeição. Paulo Francis, ao afirmar que Gisele era a mulher mais bonita do mundo, foi sutil o bastante para perceber isso.

Em outras palavras, o que admiramos quando Gisele entra na passarela, ou quando ela posa para um fotógrafo, não é puramente a harmonia dos seus traços e sua forma física, embora sejamos muitas vezes iludidos por essa sensação. O que nos encanta, na verdade, é o seu talento. "No começo, eu não tinha ideia do que era ser modelo", confessou ela. "Eu não sabia que quando se está no palco, ou em frente às câmeras, atuando como modelo, você precisa se tornar outra pessoa, incorporar uma personagem", revelou. O que Gisele chamou de "incorporar uma personagem" é nada mais do que dar vazão ao talento. Ao longo da carreira, ela aprimorou esse talento a ponto de atingir a perfeição.

Isso nos ensina duas lições fundamentais para compreender o sucesso. A primeira lição nos mostra que o segredo por trás de toda beleza é a manifestação natural de um talento genuíno, desenvolvido até praticamente atingir os limites da perfeição. Tire o talento para a oratória de Barack Obama ou o jeito singular de desfilar e a virtude fotogênica de Gisele, e eles serão mais uma das pessoas nas quais esbarramos pela rua e que não despertam nossa atenção. A segunda lição deriva da primeira e é muito mais simples, porém conclusiva: se você negligenciar seu talento, estará negligenciando sua maior força.

Descobrindo os pontos fortes

Valdir Bündchen, pai de Gisele, é um homem alegre, comunicativo e dono de uma energia bastante incomum. Fala rápido, com inúmeras pausas e inflexões de voz. Seu currículo é amplo e eclético, mas, acima de tudo, é um especialista em treinamento pessoal. Na década de 1990, iniciou um fascinante trabalho que chamou de Estudo de Perfil Pessoal. Valdir aplicou esse estudo nas empresas que assessorou com o objetivo de descobrir o talento de cada membro de uma equipe e investir nele. "Uma vez descoberta a habilidade de cada integrante de um time, a empresa é estimulada a oferecer condições para que essa pessoa passe a atuar na área em que suas atribuições contribuirão para desenvolver seu potencial", explicou ele.

Ele acreditava tanto nessa ideia que, à medida que cada uma de suas filhas completava 14 anos, usava o Estudo de Perfil Pessoal para descobrir suas habilidades. Depois, sugeria que investissem numa área que desenvolvesse esse potencial. "Essa é uma ideia muito simples. Não existe nada de novo e de misterioso nisso, mas, quando aplicada, cria resultados espantosos", garantiu. E ele explicou por quê: "Construir sobre o talento faz com que as pessoas despertem a curiosidade e a paixão que trazem dentro de si, e não há fonte de energia maior do que essa". Segundo Valdir, tudo que precisamos é descobrir onde está nossa paixão e nossa curiosidade e atuar nesta área. Esta parece ser uma questão muito óbvia. O problema está no fato de que acontece exatamente o contrário no nosso dia a dia. Nós somos levados a ignorar nosso talento.

Imagine, por exemplo, que você tenha uma facilidade enorme para aprender matemática, mas que suas notas sejam um desastre em gramática. As lições de matemática já estão concluídas enquanto o professor repete algum ponto que um colega não compreendeu. Você se sente desafiado pela matemática, ela lhe estimula. Você olha para seus colegas e se pergunta como conseguem complicar tanto algo tão simples. Com a gramática, entretanto, acontece o contrário: falta ânimo e curiosidade, o conteúdo é chato, as regras gramaticais não lhe despertam interesse. O livro de matemática está rabiscado com exemplos e anotações. O livro de gramática está intacto como se ainda fosse novo.

O que geralmente acontece nesses casos? Você é obrigado a ter aulas de reforço em gramática, certo? Seus pais lhe mandam estudar gramática. O coordenador do colégio o chama em sua sala e o aconselha a estudar gramática. O professor de gramática... Bem, você já não aguenta mais ouvir falar em gramática! Paciência, porque mesmo assim, no final do ano, você ainda terá de cumprir um mês de reforço em gramática. Não estou dizendo com isso que você não deve estudar gramática ou, no caso inverso, matemática. Cada uma dessas disciplinas é fundamental para um desempenho excelente na vida. O problema é que, no exemplo acima, a pauta em todas as circunstâncias é a gramática, ou seja, o seu ponto fraco. Desde muito cedo, você é forçado a se concentrar nos seus pontos fracos, e não em suas habilidades. Seu talento sempre fica em segundo plano. Você é orientado a investir tempo e energia na tarefa ingrata de diminuir suas fraquezas, achando-se que desse modo você atingirá a excelência. Pesquisas revelam que alunos com bom desempenho escolar nem sempre alcançam sucesso profissional. Como poderiam alcançar? Os gênios da matemática são forçados a decorar conjugações de verbos e regras de sintaxe durante anos. Os gênios da gramática são forçados a memorizar fórmulas. Resultado: melhoramos em nossos pontos fracos e pioramos em nossos pontos fortes, e, em geral, atingimos apenas a média.

Valdir Bündchen fez exatamente o contrário com sua família. Mais do que ninguém, ele é um investidor no talento pessoal. Desde muito cedo, estimulou suas filhas a descobrirem seus pontos fortes e deu-lhes estímulo para desenvolvê-los. Quando, por exemplo, Gisele foi descoberta, aos 13 anos, Valdir imediatamente passou a investir neste talento, criando um processo de acompanhamento que deu à filha a liberdade de fazer escolhas que a conduzissem na direção de seus propósitos. Quando Gisele passou a se interessar pela carreira de modelo, apesar da pouca idade, estava claro que ela tinha talento, porque já havia participado de vários concursos e se mostrava apaixonada pelo que fazia. Foi aí que vieram os problemas.

Seguir a carreira de modelo significava deixar a casa dos pais, correr riscos e dedicar-se quase exclusivamente à essa atividade, sacrificando outras prioridades, inclusive uma educação formal. "Gisele sempre foi muito determinada e sabia o que fazer", diz Valdir. "Não devemos dizer aos filhos o que fazer. Nossa missão é transmitir valores e ensinamentos aprendidos ao longo da vida, sem jamais impor qualquer ideia. Você pode apenas sinalizar o que pode ser feito", explicou ele, que repetiu o mesmo processo com as outras cinco filhas. Cada uma foi estimulada a seguir especificamente seu talento. Hoje, elas formam um time profissional que se completa nas suas diferenças e, por isso, pode pensar em resultados diferenciados, com alto grau de desempenho. "Cada pessoa tem o seu talento", explicou Patrícia, irmã gêmea de Gisele, que desenvolveu o seu talento na área de relações públicas.

Valdir Bündchen explica sua tese de um jeito próprio. "Se duas pessoas disputam uma prova de salto em altura e uma toma impulso na areia enquanto a outra o toma num piso de concreto, quem terá o melhor impulso e, consequentemente, pulará mais alto?", perguntou ele numa de nossas inúmeras conversas. "A pessoa que tomou impulso no piso de concreto, é claro", respondi. "Bem, o talento é como o piso de concreto. É o que lhe dará a segurança de tomar um impulso extraordinário", explicou. Com isso, Valdir quer dizer que, se você não atua sobre a área de seu talento, não há segurança, e, sem segurança, você não terá a confiança para assumir riscos e fazer os investimentos necessários para ter sucesso e felicidade.

O equívoco das irmãs Polgár

Tudo isso parece muito óbvio. Todos temos consciência de que o talento é a base para tudo. Na vida, no entanto, parece acontecer exatamente o contrário. Ignoramos o talento e acreditamos que escolher uma profissão rentável e ter uma boa formação nessa área são o mais importante. Mas, não, isso não é o mais importante. Um bom exemplo do quanto o talento é fundamental para quem busca o sucesso e a satisfação pode ser visto na obra do psicólogo e pedagogo húngaro László Polgár. Durante a década de 1960, Polgár estudou a biografia de centenas de grandes intelectuais e acreditou ter encontrado um padrão: todos haviam recebido, desde muito jovens, uma intensa especialização em determinada área. A partir dessa constatação, László se convenceu de que a genialidade era produto exclusivo da educação e da prática. E mais: ele responsabilizou o sistema de ensino público por produzir mentes medíocres. Em contrapartida, estava convencido de que ele mesmo poderia transformar qualquer criança sadia em um gênio na área que bem quisesse.

Ainda jovem, Polgár escreveu um livro intitulado *Bring up genius* (*Criando gênios*, em tradução livre), no qual explica o método que o habilitaria a desenvolver a genialidade em qualquer criança. Porém, a história de Polgár tornou-se realmente interessante quando ele, para provar sua teoria, procurou publicamente uma mulher interessada em engajar-se no projeto. Pelos jornais, László buscou alguém que aceitasse casar com ele, ter filhos e auxiliá-lo na realização da experiência de transformar esses filhos em gênios. A ideia, que correu o mundo, impressionou Klara, uma professora ucraniana, que aceitou a proposta. Eles se casaram. Em 1969, nasceu Susan, a primeira filha do casal. Quando Susan completou 4 anos, o casal Polgár iniciou sua experiência, decidindo que a atividade perfeita para desenvolver a futura genialidade da filha seria o xadrez. Polgár justificou essa opção com a explicação de que o xadrez, além de ser uma arte, pode também ser considerado uma ciência. E, como os esportes competitivos, oferece uma facilidade na demonstração de resultados práticos. Em 1974, nasceu a segunda filha do casal, Sofia. Menos de dois anos depois, nasceu a terceira filha, Judit. Ambas foram incluídas no programa. Muito antes de aprenderem a falar e caminhar, Sofia e Judit já eram colocadas à frente do tabuleiro, onde László treinava Susan durante a maior parte do dia.

O SEGREDO POR TRÁS DA BELEZA

Como acreditava que o ensino tradicional era perda de tempo, László solicitou uma autorização do governo húngaro para educar suas filhas em casa. Ele e Klara intercalavam longas horas de prática de xadrez com aulas de línguas e matemática avançada. A educação era rígida e tomava praticamente todo o dia, sacrificando, inclusive, as horas de lazer e de socialização em prol da agenda definida pelo pai das meninas. Susan, por exemplo, já no início da adolescência falava fluentemente sete línguas. "Meu pai acreditava que era preciso aproveitar o tempo da infância em vez de desperdiçá-lo brincando ou assistindo à TV", explicou ela mais tarde. "Ele defendia a ideia de que o talento inato não é nada e de que 99% do sucesso é resultado de trabalho duro", disse Susan. "E eu concordo com ele", completou. Ao longo de toda a infância e na maior parte da adolescência, as irmãs Polgár respiraram xadrez. Centenas de livros sobre o assunto ocupavam as prateleiras da casa. O sistema de arquivos montado por László cobria uma parede inteira, incluindo descrições detalhadas de jogos, técnicas e dados sobre possíveis oponentes das filhas. Até mesmo a decoração da casa era composta por enormes quadros que retratavam lances e jogadas de grandes campeões de xadrez de todos os tempos.

Qual foi o resultado de todo esse esforço? Com tamanha disciplina, prática e dedicação no aprendizado de técnicas de xadrez, é lógico que as irmãs Polgár obtiveram um sucesso considerável. Mas será que elas realmente chegaram ao topo e, especificamente, permaneceram nele? Aos 17 anos, Susan se tornou a primeira mulher a se qualificar para o que na época era chamado de Campeonato Mundial Masculino, mas, justamente por o campeonato ser masculino, ela não pôde participar. Em 1988, as três irmãs competiram, em equipe, na Olimpíada Feminina e obtiveram a primeira vitória húngara contra os soviéticos. Todas tiveram conquistas consideráveis. Das três, porém, Judit, a mais nova, destacou-se. No entanto, nenhuma das irmãs chegou a vencer o campeonato mundial, o que seria alcançar o nível mais elevado. E, mais frustrante, quando completaram 20 anos, idade em que a maioria dos enxadristas ainda luta por seu lugar no topo, as irmãs Polgár decidiram desistir do projeto de seu pai, afirmando que "há mais coisas na vida além do xadrez".

Ao longo dos anos, a história das irmãs Polgár foi amplamente usada por teóricos que tentaram provar que ter ou não talento é irrelevante, mas, se analisarmos a experiência de László de maneira mais profunda, veremos que a análise desses teóricos é vaga e incompleta.

Jogar xadrez exige três diferentes ações do cérebro. Para se tornar um bom jogador, o cérebro, primeiro, precisa compreender as regras, ou seja, o que cada peça pode fazer dentro dos limites estabelecidos. Depois, ele precisa visualizar eventuais jogadas e, por último, analisar qual jogada é a mais vantajosa. Esses três fatores podem ser desenvolvidos até certo ponto, é claro, sem a necessidade de talento. Porém, ao propor sua experiência, László acreditava que o desempenho no xadrez não apenas traria reconhecimento às filhas como também as faria felizes. Mas não foi bem isso que aconteceu. Afinal, foi a busca pela felicidade que as fez desistir do xadrez. A história das irmãs Polgár ilustra o motivo pelo qual tantas pessoas se tornam boas em função do que László chamou de "uma intensa especialização em determinada área", mas nunca atingem a excelência. Para atingir a excelência, é preciso uma intensa especialização na área em quem se encontra nosso talento natural.

Podemos extrair duas lições básicas da experiência de László. A primeira reafirma tudo o que falamos até aqui, ou seja, que é virtualmente impossível criar um desempenho notável que alcance os limites da perfeição, como os de Gisele, Tamayo, Obama e Picasso, tendo apenas conhecimento e aprendizado de técnicas. Em outras palavras, o talento não pode ser construído com técnica e conhecimento. A teoria de que cada um pode ser o que bem quiser, bastando para isso adquirir conhecimento e disciplina necessária para aplicá-lo, é falsa. A segunda lição nos ensina que a disciplina, a técnica e o conhecimento tornam as pessoas melhores em qualquer área, mas nada compensa a falta de talento. "Eu queria ser campeã mundial, mas agora sei que isso nunca acontecerá", disse Susan. "Está bom ter sido boa ou muito boa. Não há motivos para ser a melhor", entregou ela, logo a seguir, consolando-se. O risco de investir uma vida inteira em treinamento repetitivo sem ter talento como base é justamente ficarmos saturados antes de alcançar os resultados que desejamos. Melhorar em qualquer atividade requer persistência. Para resistir à tentação de relaxar, precisamos de combustível, ou seja, de paixão e curiosidade pela atividade que desenvolvemos. A seguir, vamos compreender melhor por que isso acontece. E um bom começo para isso é definir o que é o talento.

Definindo talento

Todos temos uma ideia do que é uma pessoa talentosa. Obama é um político talentoso. Gisele tem talento para o que faz. É sempre fácil reconhecer o talento. O problema surge quando somos questionados sobre a origem do talento. Como ele se forma? Ele é um privilégio de poucos ou está em todos nós? É espantoso que, embora o talento seja a base da nossa vida, a maioria de nós não tenha a mínima noção de como ele se forma e do que, na verdade, ele é.

O que é um talento? As respostas divergem, mas, na essência, dizem a mesma coisa. Talento é uma aptidão para fazer alguma coisa com uma naturalidade superior à maior parte das outras pessoas. Tente lembrar o momento em que você recebeu seu primeiro brinquedo, o que quer que tenha sido: um caminhão de bombeiro, uma boneca, um kit de médico ou um capacete de astronauta. Você dizia para todo mundo que, quando crescesse, seria um bombeiro, um estilista, um astronauta ou um médico. Essa paixão inocente por determinada profissão, sem se preocupar com salário, status social e o que seria necessário para alcançá-la, é um forte indício de onde está seu talento. É esse sentimento infantil de "eu quero fazer isso porque quero", sem precisar explicar os motivos, que precisamos redescobrir. Em outras palavras, descobrir nosso talento é deixar nosso brinquedo interior revelar-se. Todos nós temos um, e, quando você vir o seu, vai reconhecê-lo imediatamente. Talento é exatamente esse brinquedo interior.

Como o talento se origina e se manifesta em nós? Essa aptidão natural depende, pelo menos em grande parte, da formação das interconexões entre os neurônios no nosso cérebro. Essas interconexões se formam quase totalmente ainda durante os primeiros anos da infância, razão pela qual não é mais possível, depois de certa idade, alterar a configuração dessas conexões (ao menos de maneira radical) e, por consequência, alterar nosso talento ou até mesmo desenvolver um talento novo. Isso explica por que nossos talentos são inatos, vitalícios e insubstituíveis. Por essa razão, se você possui uma aptidão para a matemática, por exemplo, por mais gramática que estude nunca a aprenderá com a facilidade que possui para aprender matemática.

O mistério desse processo está nas sinapses que ocorrem ao longo da infância, ou seja, nas conexões entre neurônios. Cada neurônio se comunica com milhares de outros em interconexões se fortalecem na medida em que recebem estímulos, criando espirais-padrões em torno desses neurônios. Nosso talento, em grande parte, é definido pelas informações transmitidas por meio dessas espirais-padrões. "O cérebro de uma criança produz trilhões de sinapses a mais do que o cérebro de um adulto", escreveu John T. Bruer, especialista em filosofia e em neurociências. As espirais estimuladas se desenvolvem. As espirais ignoradas definham ou são completamente eliminadas. Como um escultor que talha a madeira, dando forma à sua escultura, os estímulos captados pelo cérebro moldam nossas aptidões.

Contudo, esse processo tem pouco ou nada a ver com inteligência. De acordo com Bruer, nossa inteligência depende muito mais do quanto usamos e estimulamos as nossas conexões mais fortes. Uma vez que a configuração da nossa rede mental é definida, o cérebro passa a operar melhor nos campos em que as conexões se estabeleceram com maior intensidade e nossos espirais-padrões são mais fortes. Por isso, nesses campos, aprender se torna mais fácil. É também onde está nosso talento. Por tudo isso, é possível dizer que o talento é resultado de uma combinação entre herança genética e as experiências durante os primeiros anos da infância. Juntos, genes e estímulos formam as habilidades.

De acordo com Bruer, não há risco de ficarmos para trás por não termos recebido os estímulos cognitivos adequados durante a infância. Ele argumentou que, embora genes e estímulos tenham um papel importante na formação cognitiva, a ideia de provocar "o estímulo certo" ou de ser vítima de uma "ausência de estímulo" é muito mais um mito do que uma realidade. A formação de padrões comportamentais ocorre em estágios conhecidos como períodos críticos, que são janelas ao longo do desenvolvimento do nosso cérebro. O que pode dificultar a tentativa de causar um estímulo voluntário numa criança, de acordo com Bruer, é não sabermos em qual momento, ao longo do desenvolvimento cerebral, essas janelas se abrem. "O cérebro se alimenta de estímulos que acontecem a toda hora, em qualquer lugar e de forma singular, fugindo absolutamente de qualquer controle externo", concluiu Bruer. Por isso, uma criança que cresce rodeada de psicólogos encarregados de provocar estímulos com o objetivo de torná-la um gênio não tem nenhuma vantagem sobre outra que passa seus dias com uma babá que não possui nenhuma especialização.

Vamos fazer um pequeno exercício para compreender a relação entre o talento e nossas configurações cerebrais. Imagine que suas conexões sinápticas sejam um sinal de internet sem fio. O sinal mais forte, a Conexão 1, possibilita um acesso instantâneo. Você consegue fazer sua pesquisa de forma muito ágil e eficiente. O sinal seguinte, a Conexão 2, é um pouco mais fraco. Você consegue acessar a internet, mas a velocidade da conexão não é tão alta. O terceiro sinal, a Conexão 3, já é bem mais fraco: você ainda consegue acessar a internet, mas demora mais para abrir a página inicial do seu provedor. Sua pesquisa é mais lenta e a eficiência e a agilidade estão comprometidas. E assim por diante: quanto mais você se afasta da conexão principal, a Conexão 1, mais o sinal se enfraquece e os resultados ficam cada vez mais comprometidos. O serviço fica mais lento. Até que, em certo ponto, não há mais conexão, e o acesso se torna impossível. O mesmo processo ocorre com a estrutura do seu cérebro.

Você tem espirais-padrões mais fortes. É onde está o seu talento principal. À medida que suas funções se distanciam dessas espirais-padrões principais, seu desempenho vai sendo comprometido. Por isso você consegue realizar certas atividades brincando enquanto a dificuldade que encontra em outras é tão grande que simplesmente o tira do sério. A Conexão 1 é o seu brinquedo interior, onde queima a chama da paixão e onde o talento pode fluir facilmente. Se a aptidão para a matemática é sua Conexão 1, por exemplo, a física pode ser sua Conexão 2, e a química, sua Conexão 3. História ou gramática, nesse caso, seriam conexões com sinais bem mais fracos.

Tudo isso nos leva a uma conclusão bem simples: se você tentar desenvolver os campos onde seu sinal é fraco, como história ou gramática, terá sérias dificuldades. Não terá entusiasmo com o que estará fazendo. E, sem entusiasmo, a realização estará comprometida. Não há como incendiar o fogo da paixão nos outros se ele não queima em você — artistas como Tamayo e Picasso, por exemplo, usaram seu talento colossal para criar obras que nos causam uma impressão proporcional à paixão que possuíam pela pintura.

Pense, por um momento, na sua infância ou mesmo na sua adolescência. Tente relembrar aquilo em que você era realmente considerado *um talento*. Agora, suponha que, desde muito novo, você tivesse investido todo o seu tempo e o seu esforço exclusivamente nesse talento. Suponha que, ao longo de toda a sua vida, desde a infância, todo o seu treinamento, sua educação, sua prática e seu conhecimento tivessem sido direcionados para desenvolver esse potencial. Como você estaria agora?

Entretanto, o que aconteceu com esse talento? Se você é como a maioria das pessoas, ignorou seu talento por completo. Por que isso acontece? Nós temos dificuldade em acreditar que temos uma habilidade especial. Parece que é possível ver essa habilidade em todos, menos em nós mesmos.

Tente, por exemplo, ver essa questão do ponto de vista de Gisele Bündchen. Imagine que você tem certo tipo incomum de beleza. Todo mundo comenta sobre sua beleza, e você se sente motivado. Mas aí você olha à sua volta e vê tanta gente bonita, tantos corpos perfeitos. Agora imagine que, além da beleza, alguém lhe diga que você tem um talento especial. "Mas que talento?", você perguntará a si mesmo. "Desfilar? Fazer pose para fotógrafos? Uma coisa tão simples, tão corriqueira, tão trivial. Quem não sabe fazer isso?". Por que você acreditaria ser capaz de ganhar dinheiro fazendo isso?

Por mais trivial que possa parecer, esse é um dos principais motivos pelos quais grande parte de nós vive uma vida profissional entediada, medíocre e longe do nosso potencial. Essa tendência a ignorar nosso talento tem origem numa singularidade desse fenômeno: justamente por termos incrível facilidade nas áreas onde está nosso talento, ignoramos nossa excepcionalidade, achando que todo mundo é capaz de fazer a mesma coisa sem esforço. Mas isso não é verdade. Aquilo que você faz com excepcional facilidade pode ser extremamente complicado para mim. E é exatamente isso que faz com que seja tão difícil investir no nosso potencial: simplesmente não nos reconhecemos como especiais.

SÍNTESE

Vimos, até aqui, que o primeiro passo para o sucesso é identificar nosso talento e construir nossa vida sobre ele. O que mais distingue as pessoas que têm um desempenho excepcional daquelas que fracassam é que as primeiras descobriram seu talento e o desenvolveram ao longo da vida. O que mais importa é explorar as habilidades da área pela qual temos paixão. Esse é o fundamento de toda vida completa, porque o impulso natural da vida é desenvolver seu potencial ao máximo, ou seja, estender seus limites até encontrar uma realização plena. Se você negligenciar seu talento, omitirá seu potencial e, como consequência, estará impedindo a expansão da vida. Por isso, ela inevitavelmente se tornará um fardo.

CAPÍTULO 2

A SÍNDROME DO EXCESSO DE OPORTUNIDADES

Por que ter um grande número de escolhas se torna a principal causa do fracasso?

No início de 1942, autoridades austríacas prenderam centenas de judeus em Viena. Entre eles estava um jovem psiquiatra chamado Viktor Frankl. Durante a Segunda Guerra Mundial, os nazistas construíram seis campos de concentração, e Viktor Frankl esteve em três deles. No seu livro *Em busca de sentido*, Frankl descreveu seu cotidiano caótico e insuportável nesses campos. "Na maior parte do tempo, trabalhei em escavações e na construção de ferrovias. Ao longo de certo período, por exemplo, tive de cavar sozinho um túnel por baixo de uma estrada para a colocação de canos que levassem água", escreveu ele. "Em Auschwitz, dormíamos em beliches de três andares. Em cada andar dormiam nove pessoas. Havia dois cobertores para cada andar, isto é, para nove pessoas. Naturalmente, só podíamos nos deitar de lado, apertados e forçados um contra o outro", continuou. "Em certo momento, éramos 1.100 pessoas num único barracão destinado a abrigar no máximo duzentas. Num período de quatro dias recebemos uma única lasca de pão".

Em outra passagem, Frankl contou que, numa gelada manhã de fevereiro, estava alinhado com seu grupo de trabalho numa das ruas do campo quando ainda estava escuro. Os refletores estavam focados nos prisioneiros. Como a maioria dos colegas, Frankl vestia farrapos. "Minhas pernas estavam tão inchadas, e a pele tão tensa, que já não conseguia dobrar direito os joelhos. Para conseguir enfiar os pés inchados nos sapatos, precisava deixá-los abertos, o que criava outro problema: eles logo se enchiam de neve", revelou ele. "Meus dedos ficavam crestados e feridos. Todo e qualquer passo que dava era um pequeno martírio." O pátio do campo, nessa época do ano, era puro lodo e gelo. "De repente, eu ouvi uns gritos. Ergui os olhos e vi um companheiro sendo esmurrado até cair no chão." Frankl prosseguiu: "O ato se repetiu várias vezes. O homem era levantado e derrubado de novo a socos". Então, uma voz surgiu em meio a tudo: "Grupo de trabalho de Weingurt, marchar!". E logo a fila se movimentou num trote ditado a porrete. "Quem não marchava ereto e alinhado podia contar com um pontapé ou uma pancada de cassetete nas costas", contou Frankl. Enfim, quando chegavam à obra, era preciso se precipitar para dentro do galpão, ainda completamente às escuras, e tentar apanhar uma pá ou uma picareta com um cabo um pouco mais firme. Depois de escolher a ferramenta, cada um se dirigia para sua posição. Começava o trabalho, que ia até escurecer.

Viktor Frankl pertencia a uma família de judeus oriundos da Morávia. Ele nasceu e passou a infância em Viena, onde seu pai chegou a ocupar um importante cargo no governo. Desde muito cedo, Viktor se interessou por psicologia. Aos 15 anos, já se correspondia com Sigmund Freud, seu conterrâneo. Aos 16, deu sua primeira conferência. Aos 22 anos, formou-se em medicina na Universidade de Viena. Nos anos seguintes, especializou-se em neurologia e psiquiatria. Em setembro de 1942, Frankl, seu pai, sua mãe, seu irmão e sua esposa, com quem se casara recentemente, foram presos pelos nazistas. Após passar algumas semanas detido num gueto de judeus na Polônia, ele foi separado da esposa e do resto da família. Daquele momento em diante, sua vida seria marcada pelo horror dos campos de concentração.

Ao longo dos anos, a história de Viktor Frankl tornou-se um símbolo de perseverança. Em 1946, um ano após as tropas aliadas terem libertado os presos dos campos de concentração, Frankl divulgou suas memórias, nas quais narrou as experiências vividas por ele e seus colegas ao longo da guerra. A publicação é considerada por muitos uma das obras mais influentes do último século.

Uma experiência diferente

No início do outono de 1971, uma equipe de pesquisadores da Universidade de Stanford, na Califórnia, resolveu desvendar os motivos que fazem das prisões lugares tão violentos e desumanos. Liderada pelo psicólogo Philip Zimbardo, a equipe de pesquisa simulou uma prisão no porão do prédio do Departamento de Psicologia.

Numa parte do subsolo, foram construídas três celas exatamente iguais às encontradas em penitenciárias americanas. Por meio de anúncios em jornais e por rádio, o grupo procurou voluntários para participarem do estudo. O anúncio explicava que os recrutados passariam duas semanas numa prisão simulada. Dos inscritos, setenta candidatos se qualificaram de acordo com o regulamento. Destes, 24 foram selecionados, optando-se pelos mais emocionalmente estáveis. Todos eram brancos, de classe média, em perfeito estado de saúde física e mental. Nenhum deles possuía antecedentes criminais. Por sorteio, escolheram-se os agentes penitenciários e aqueles que seriam presos.

A pedido dos pesquisadores, a polícia foi à casa de cada voluntário. Com um mandado de prisão em mãos, acusou-os de assalto à mão armada. Em seguida, algemou-os e levou-os até o Departamento de Polícia. Lá, a equipe de pesquisa recolheu as impressões digitais dos detentos e identificou-os com um número, pelo qual passaram a ser chamados. Daquele momento em diante, eles ficaram sob a guarda dos agentes penitenciários. Com olhos vendados, foram levados para a prisão simulada no porão do Departamento de Psicologia. Lá, vestiram um uniforme de presidiário e foram colocados nas celas, que permaneceram trancadas. Tudo foi feito para simular um evento real.

Pelas câmeras escondidas, o professor Zimbardo e sua equipe acompanhavam tudo o que acontecia no presídio. O resultado foi surpreendente e chocou os pesquisadores, pois a experiência rapidamente fugiu do controle. A partir dos primeiros contatos com os presos, os agentes tornaram-se autoritários, disciplinadores e agressivos. Os presos tornaram-se rebeldes e desobedientes, porém totalmente submissos. Já na primeira noite, presos e agentes tornaram-se inimigos. Os agentes acordaram os presos durante a madrugada e os forçaram a fazer flexões. Depois, obrigaram os detentos a manterem o rosto voltado contra a parede e os agrediram com insultos verbais de toda ordem. Na manhã do dia seguinte, os presos se rebelaram. Em contrapartida, os guardas os obrigaram a tirarem a roupa e dispararam o conteúdo de extintores de incêndio contra eles.

No terceiro dia, um dos prisioneiros teve um ataque de histeria e foi libertado. No dia seguinte, foram liberados outros quatro, sob o motivo de "intensa depressão emocional, choro, ataques de fúria e ansiedade aguda". Os presos restantes decidiram fugir. A situação se agravou tanto que Zimbardo e sua equipe resolveram abortar o projeto. A intenção era manter a experiência por duas semanas, mas a equipe foi forçada a concluí-la em apenas seis dias. Mesmo após sair da prisão, vários participantes continuaram apresentando sérios distúrbios psicológicos.

O problema é o excesso, não a escassez

Viktor Frankl foi libertado do último campo de concentração em que esteve em abril de 1945, logo após as tropas aliadas invadirem Berlim. Havia sobrevivido a 910 dias de confinamento, tortura e trabalho forçado sob o comando dos nazistas. Agora, reflita por um instante sobre a seguinte questão: como foi que Viktor Frankl — e tantos outros prisioneiros — tendo perdido tudo, com todos os seus valores destruídos, sofrendo brutalmente de fome, de frio e de angústia, esperando

A SÍNDROME DO EXCESSO DE OPORTUNIDADES

a cada momento seu extermínio (a solução final), suportou níveis tão extremos de tortura, durante dois anos e meio, enquanto os voluntários do programa de Zimbardo não resistiram a uma semana de confinamento, mesmo sem terem sido submetidos sequer a uma parte dos horrores aos quais os primeiros foram expostos?

Se você analisar bem as duas situações, verá que a resposta é mais simples do que pode parecer. Os presos de Auschwitz sabiam que, para eles, só havia duas alternativas: a luta diária pela sobrevivência ou a morte. Além da sobrevivência e da morte, não existia mais nada. Essa objetividade lhes dava um foco específico, um objetivo determinado, uma missão diária a ser cumprida, ou seja, sobreviver. Esse propósito claro os fazia suportar qualquer coisa. Por mais humilhante, desumana e intolerável que a situação fosse, ela era melhor que a morte. Havia um objetivo maior, que era a sobrevivência. Com isso em mente, todas as atrocidades, até certo ponto, eram suportadas, pois ainda estavam abaixo do propósito. O que ocorreu com os voluntários de Stanford foi exatamente o oposto. Ao contrário dos presos de Auschwitz, eles não tinham um objetivo específico. Estavam ali, mas conscientes de que poderiam deixar a prisão a qualquer momento sem nenhum impedimento. Em outras palavras, os presos de Auschwitz tinham o propósito claro e específico de sobreviver enquanto os presos de Stanford tinham várias opções.

Essa constatação, por mais simples que possa parecer, é fundamental porque nos revela algo bastante óbvio, mas que insistimos em ignorar. Ao contrário do que pensamos, o maior responsável pela mediocridade na vida das pessoas e de empresas não é a falta de oportunidades, mas seu excesso. O excesso de oportunidades dissipa nossas energias e divide nossos pensamentos em tantos assuntos e em tantas direções distintas que, em vez de criarmos um foco seguro, que nos fortaleça e sirva como guia, nos tornamos vítimas da dúvida, da insegurança e, por consequência, da fraqueza.

Todos os dias, diante das circunstâncias impostas pelo ambiente que nos cerca, somos forçados a fazer inúmeras pequenas escolhas; estamos, o tempo inteiro, diante de um entroncamento de opções.

Se não tivermos um objetivo claro e específico que mantenha nosso foco, seremos inevitavelmente paralisados pela dúvida. Além disso, a própria constituição do ser humano é, por natureza, confusa e complexa, uma mistura de opções, desejos e contradições, lançando-nos num mar de indagações permanentes. A cada momento, surge algo novo, um canto da sereia, que parece sinalizar algo que não podemos deixar de fazer. Essa dúvida entre fazê-lo ou não cria uma espécie de letargia. Precisamos organizar essa complexidade, dar-lhe uma direção, um propósito, um guia que nos oriente diante das escolhas diárias.

Exemplos do quanto estamos infectados pela Síndrome do Excesso de Oportunidades podem ser vistos em qualquer lugar. Observe os conselhos dados aos alunos na época de prestar vestibular. Uma das orientações mais comuns é que eles se inscrevam em duas ou três universidades e em cursos distintos. Por quê? Porque, caso não consigam ingressar no curso de sua preferência, haverá uma segunda opção num curso menos competitivo. Se sua prioridade, por exemplo, é jornalismo, a segunda opção pode ser educação física, um curso bem menos disputado e que, por isso, oferece maior possibilidade de ingresso. O que está acontecendo, nesse caso, é a negação dos talentos naturais do aluno. Por falta de persistência, ele acabará frequentando um curso para o qual não possui a mínima inclinação vocacional, e sua vida profissional será uma enorme frustração.

A dúvida paralisa

Você já parou para pensar no que determina suas escolhas? No início da década de 1990, o professor de psicologia Eldar Shafir e seu colega Amos Tversky, da Universidade de Princeton, nos Estados Unidos, realizaram um amplo estudo sobre o comportamento das pessoas na hora de tomar decisões. Shafir e Tversky queriam saber até que ponto a incerteza diante de uma situação pode alterar o comportamento das pessoas diante de uma escolha.

A SÍNDROME DO EXCESSO DE OPORTUNIDADES

Imagine que você está no último ano do colégio. Faltam duas semanas para as festas de Natal e de fim de ano. Você acabou de prestar vestibular. Se passar, entrará para uma universidade no ano seguinte. Se não passar, terá de repetir o vestibular. O resultado das provas, portanto, decidirá seu caminho para o ano seguinte. Imagine que faltam três dias para saber o resultado dos exames quando você recebe uma proposta inusitada: a turma de graduação está organizando uma excursão para a praia e o pacote, com passagem e estadia, é uma beleza. Esta é a viagem dos seus sonhos e você tem o dinheiro para fazê-la. Mas há um problema: você ainda não sabe o resultado das provas, ou seja, se logrou ou não a aprovação.

Diante dessas circunstâncias, você tem três opções: você pode comprar o pacote independentemente do resultado, pode deixar a oportunidade passar ou pode pagar cinquenta reais para assegurar sua vaga durante os próximos três dias, quando receberá o resultado dos exames. O que você faria? Nessa experiência, Shafir e Tversky dividiram os alunos em dois grupos. Para facilitar a compreensão, vamos chamar esses grupos de A e B. Na primeira fase da experiência, o resultado do vestibular foi antecipado para ambos os grupos. Ao grupo A foi dito que haviam sido aprovados; ao grupo B, que haviam sido reprovados. No grupo A, 57% dos alunos decidiram ir ao passeio. No grupo B, 54%, mesmo tendo sido reprovados, também quiseram ir. Em outras palavras, uma média de 55% dos alunos escolheu ir ao passeio. Isso nos leva a concluir que o resultado do vestibular, de fato, não interferiu na escolha, certo?

Mas aqui está o gancho: um terceiro grupo, que chamarei de C, não conhecia o resultado dos exames e recebeu as mesmas três opções apresentadas aos grupos A e B no exemplo anterior. Ou seja, os alunos do grupo C tinham de optar por uma das três alternativas, mas, ao contrário dos outros dois grupos, não sabiam o resultado do vestibular. Como vimos que o resultado dos exames não interferiu na escolha dos grupos A e B, já podemos prever a preferência do grupo C, certo? Errado.

O estudo de Shafir e Tversky mostrou que o comportamento do grupo C foi completamente diferente. Para estes, a indecisão sobre o resultado do vestibular fez toda a diferença, pois 61% dos estudantes optaram por pagar os 50 reais, protelando a escolha até obterem o resultado dos exames. Estranho, não é? Lembre-se de que tanto no caso do grupo A como no do grupo B, independentemente do resultado, a maioria decidiu ir ao passeio. O resultado dos exames, fosse ele negativo ou positivo, não fez muita diferença. Porém, quando não lhes foi revelado o resultado, a indecisão fez com que 61% dos estudantes pagassem os 50 reais somente para garantir a vaga até conhecer o resultado e, só então, fazer a escolha. Por que fizeram isso se, para a maioria, o resultado não interfere na decisão? A conclusão do estudo vai na direção do que afirmamos antes: a indecisão, a dúvida, nos paralisa. O excesso de informação leva a uma fragmentação da nossa própria identidade.

Optar pelo mais fácil

Agora, observe outro estudo feito por Shafir e pelo professor Donald Redelmeier, da Universidade de Toronto. Imagine que é sexta-feira. Você está planejando o que fará à noite e está indeciso entre as duas opções a seguir:

1. Assistir a uma palestra de uma pessoa que você admira muito e que estará na cidade apenas por uma noite.
2. Ficar em casa e concluir um trabalho que você precisa entregar na semana que vem.

O que você faria? O trabalho pode ser concluído durante o final de semana enquanto a oportunidade de assistir à palestra é única. Dessa forma, parece bastante lógico optar pela palestra. Pelo menos no estudo de Shafir e Redelmeier, 79% dos alunos decidiram ir à palestra e apenas 21% optaram por ficar em casa e concluir o trabalho. Agora, o que aconteceria se, além das duas opções anteriores, você tivesse uma terceira opção, como no exemplo a seguir:

A SÍNDROME DO EXCESSO DE OPORTUNIDADES

> 1. Ir a uma palestra de uma pessoa que você admira muito e que estará na cidade apenas por uma noite.
> 2. Ficar em casa e concluir um trabalho que você precisa entregar na semana que vem.
> 3. Ir ao cinema e assistir a um filme que é a grande sensação do momento e que você está louco para ver.

O que você escolheria? Será que sua resposta mudaria? Quando as três possibilidades foram apresentadas aos estudantes do teste anterior, o número de alunos que decidiu ficar em casa e concluir o trabalho dobrou. Agora, 40% optaram por concluir o trabalho. Estranho, não é? Quando temos opções muito atraentes, a decisão fica mais difícil e, estranhamente, escolhemos a alternativa mais fácil. Por quê? Porque ela nos livra de fazer uma escolha complicada. É difícil escolher entre ir ao cinema e ir à palestra porque desejamos as duas coisas com a mesma intensidade. Por isso, fazemos outra escolha, a que menos nos desafia. Se, como vimos nos dois estudos, pequenos fatores fazem uma diferença extraordinária na hora de tomar uma decisão, imagine o quanto somos afetados por inúmeras circunstâncias ao longo da vida. Se não estivermos atentos e não tivermos um propósito específico para orientar nossas escolhas, é muito fácil sermos vítimas da Síndrome do Excesso de Oportunidades.

Como um propósito muda o mundo

Em 1958, os norte-americanos, que então se orgulhavam de ser o centro tecnológico do mundo, ficaram boquiabertos quando os soviéticos lançaram ao espaço o primeiro satélite da história. O nome do satélite, Sputnik, tornou-se um termo universal do dia para a noite. Era um tempo em que o mundo assistia de maneira ansiosa à disputa entre Estados Unidos e União Soviética. O jogo de poder entre essas duas potências, conhecido como Guerra Fria, era silencioso, tenso e imprevisível. Os americanos reagiram imediatamente, e, dois meses depois, lançaram seu próprio satélite, mas, logo em seguida, colocando-se um passo à frente outra vez, os soviéticos anunciaram o lançamento do Sputnik II, agora com um passageiro a bordo: Laika, uma cadela que se tornou tão famosa quanto o próprio Sputnik. Os avanços da União Soviética na conquista do espaço não pararam. Mal o mundo havia assimilado a experiência com Laika, o astronauta russo Yuri Gagarin entrou para a história como o primeiro ser humano a ir ao espaço. Essa supremacia soviética assustava os americanos. Em maio de 1961, John F. Kennedy fez um discurso durante uma sessão especial do Congresso americano. Nesse discurso, Kennedy deixou uma lição que em grande parte definiu o sucesso americano nas décadas seguintes, pois fez uma série de observações e estabeleceu um conjunto de metas. Em sua opinião, essas medidas garantiriam a liderança espacial dos Estados Unidos em relação aos soviéticos.

Dessas observações, uma, em especial, pareceu fazer toda a diferença: "Eu acredito que a nação deve se comprometer a alcançar o objetivo de, ainda antes do fim dessa década, levar um homem à Lua e trazê-lo em segurança para a Terra", disse Kennedy. "Eu acredito que possuímos todos os recursos e talentos necessários", afirmou. "Porém, o problema está no fato de o país nunca ter assumido esse compromisso conjunto ou de nunca ter organizado os recursos necessários para tal empreendimento. Nós nunca especificamos metas de longo prazo, nunca determinamos um tempo específico para cumpri-las nem gerenciamos nossos recursos e nosso tempo para realizá-las plenamente", disse ele.

Visto dos dias atuais, está claro que o discurso de Kennedy colocou os Estados Unidos um passo à frente da União Soviética muito antes que fosse feito qualquer investimento concreto. Kennedy conhecia o potencial de seu país e sabia que uma reviravolta, em qualquer circunstância, começa pela definição de um propósito. Kennedy entendeu perfeitamente que a competição com a União Soviética não estava numa corrida espacial, mas numa corrida científica, que, na verdade, era uma corrida educacional. A forma que ele escolheu, entretanto, para entusiasmar e motivar os americanos a fazerem os sacrifícios e os esforços necessários para vencer a Guerra Fria, que exigiu um desenvolvimento em larga escala de ciências e de engenharia, foi impor a visão, o sonho, de levar um homem à Lua. Em outras palavras, ele definiu em que ponto a escada deveria ser colocada, sabendo que a força necessária para subir os degraus seria adquirida ao longo da caminhada. Sob sua liderança, o país decidiu o que queria, definiu seus objetivos e tomou a decisão de alcançá-los. E qual foi o resultado? Apesar de Kennedy ter sido assassinado em novembro de 1963, o astronauta americano Neil Armstrong tornou-se, em 20 de julho de 1969, o primeiro homem a pisar na Lua.

O que Kennedy fez com os Estados Unidos precisamos fazer com nós mesmos. Após descobrir nosso talento, temos de definir um propósito claro e específico que nos ajude a dar um sentido à nossa vida. Esse sentido será fundamental para fazermos as escolhas certas ao longo do processo. Um dos exemplos mais fascinantes desse fenômeno nos foi dado por Herbert Kelleher, cofundador e ex-presidente da companhia aérea Southwest Airlines.

O Conceito Kelleher

A Southwest Airlines é uma das companhias aéreas mais valiosas dos Estados Unidos. Durante as últimas três décadas, ela liderou o mercado de linhas domésticas no país. Desde sua fundação, em 1971, a empresa construiu sua reputação oferecendo passagens aéreas a um preço muito inferior ao das concorrentes. Para alcançar esse objetivo, a companhia descartou qualquer serviço de bordo desnecessário e passou a utilizar aeroportos secundários, evitando a concorrida escala aérea dos grandes aeroportos. No universo empresarial, a Southwest é um modelo de gerenciamento. Nas pesquisas da revista *Fortune*, ela constantemente aparece entre as cinco empresas mais admiradas pelos norte-americanos. Seu crescimento é um dos poucos em constante e forte ascendência nesse tipo de mercado.

Questionado, certa vez, sobre o segredo do sucesso da Southwest, Herbert D. Kelleher, seu cofundador e ex-presidente, surpreendeu ao afirmar que podia ensinar qualquer pessoa a administrar sua empresa em apenas trinta segundos. "Tudo que você precisa saber é que nós somos a companhia com as tarifas mais baratas. Uma vez que tenha compreendido isso, você pode tomar qualquer decisão sobre o futuro da empresa tão bem quanto eu", disse ele. "Suponha, por exemplo, que Tracy, do setor de marketing, venha até você e diga que pesquisas indicam que os passageiros que frequentemente voam entre Houston e Las Vegas gostariam que a empresa substituísse os amendoins servidos durante a viagem por uma salada verde com peito de frango. O que você diria? Você simplesmente deve perguntar a ela: 'Tracy, você acha que uma salada verde com peito de frango vai nos ajudar a ser a companhia aérea com as passagens mais baratas no trecho Houston—Las Vegas?' Se essa ideia não nos ajudar a ser, de forma incontestável, a companhia com as passagens aéreas mais baratas, nós não vamos servir salada com peito de frango!".

É claro que essa não é a história completa da Southwest. O que Kelleher quis dizer é que, para manter uma grande empresa, você precisa estabelecer um número reduzido de padrões gerenciais, uma espécie de base conceitual clara e sólida a partir da qual tomará suas decisões, algo que eu chamo de Conceito Kelleher. Em outras palavras, ter um Conceito Kelleher é o que o autor Stephen R. Covey chamou de começar com um objetivo em mente. "Se a escada não estiver apoiada na parede certa, cada passo dado só nos levará mais depressa ao lugar errado", disse Covey. O Conceito Kelleher, portanto, é a definição do lugar exato onde você vai escorar as decisões que toma na sua vida ou mesmo na vida de sua empresa.

Definir o que você quer, de forma clara e ardente, é o começo de todas as conquistas e realizações. Esse objetivo claro sempre partirá de um propósito mental, de um pensamento abstrato cujo papel é servir de âncora para nossas escolhas. Se estabelecermos esse objetivo de maneira deliberada, seremos senhores das nossas escolhas; se não o fizermos, ele será estabelecido pelas nossas dúvidas e inseguranças. No exemplo citado no início desse capítulo, os presos de Auschwitz determinaram seu objetivo antes de colocarem em prática seu plano de sobrevivência. A opção pela sobrevivência foi uma escolha racional deliberada. De forma contrária, as decisões dos voluntários de Stanford foram aleatórias, tomadas a partir de reações impulsivas, sem um fim especificado previamente. Os primeiros agiram de forma planejada enquanto os voluntários de Stanford agiram por omissão.

O objetivo do Conceito Kelleher, portanto, é direcionar nossas escolhas para um fim específico e definido previamente. Ele faz com que nossas decisões sejam tomadas de forma consciente, renunciando a qualquer tentação que não alinhe nossas ações com nosso propósito. Ter um fim em mente significa ter, desde o começo, uma compreensão clara de onde você quer chegar. Ao manter esse fim claro em sua mente, você pode ficar certo de que cada dia da sua vida contribuirá para a realização desse propósito.

Portanto, uma vez que você conheça seu talento, precisará definir o propósito no qual usará e desenvolverá esse talento e, dentro desse propósito, determinar o resultado exato que quer atingir. Para ter sucesso na vida, você só pode ter um único norte. Os caminhos para chegar a esse norte podem variar. Você pode acertar o caminho mais curto já na primeira tentativa, pode apanhar uma tempestade, pode se perder e ser forçado a retornar e retomar a estrada certa, enfim, pode encontrar mais ou menos obstáculos ao longo da jornada, mas, para chegar lá, você precisa saber, com clareza, aonde quer chegar.

Alinhando a carreira de Gisele

A definição de um propósito claro logo no início da carreira foi uma das grandes vantagens de Gisele Bündchen ou até mesmo a razão principal de seu sucesso. Gisele desembarcou em São Paulo em setembro de 1994 como finalista da etapa brasileira do concurso The Look of the Year. O concurso, que mais tarde passou a se chamar Elite Model Look, é uma espécie de "peneirão" de adolescentes magras, altas e bonitas. A agência Elite, que promove o evento, realiza etapas nacionais em mais de quarenta países. Somente no Brasil, recebe mais de 30 mil inscrições por ano. O processo é o mesmo em todos os países: a agência promove desfiles nas principais cidades, faz uma eliminatória por estado e as vencedoras das etapas estaduais participam de uma grande final. Três representantes de cada país vão para a competição internacional. Embora vencer um concurso como o Elite Model Look chame muita atenção, isso não é absolutamente uma garantia de sucesso. Gisele, por exemplo, ficou em segundo lugar na etapa brasileira. Você tem ideia de quem ficou em primeiro lugar?

O segundo lugar classificou Gisele para a final mundial do concurso, no paradisíaco balneário de Ibiza, na Espanha. Lá, candidatas do mundo todo disputavam um contrato de 100 mil dólares. Durante uma semana, as candidatas ensaiaram, fotografaram e fizeram os clipes que seriam transmitidos num programa de TV ao vivo que escolheria as vencedoras. Gisele ficou entre as dez primeiras. A partir daí, fez alguns editoriais de moda no Japão, mas, nos meses seguintes, veio a frustração. Diante das inúmeras dificuldades enfrentadas na carreira de modelo, Gisele voltou para a casa dos pais, decepcionada, sem trabalho e sem escola.

Ela já havia provado que tinha talento para ser modelo, afinal conquistara títulos, fizera ensaios e até trabalhara no exterior, mas até então não existia nenhuma solidez na carreira. O retorno financeiro também não havia aparecido. Por um lado, sua vida estava desestruturada: Gisele estava fora da escola, em casa, com suas expectativas abaladas. Por outro lado, existia o talento, a possibilidade, o sonho e a vontade. Ciente do potencial da filha, Valdir decidiu analisar a situação com cuidado. Estudou a carreira de outras modelos, pesquisou o mercado, dialogou com a família e manteve uma intensa discussão com a equipe da agência interessada nos trabalhos de Gisele. "Primeiro, buscamos compreender a fundo as complexidades e os desafios que a carreira trazia", contou Valdir. "Em seguida, comparamos essas complexidades com o potencial de Gisele para, por fim, auxiliá-la a traçar metas para superar essas complexidades", explicou ele. Em outras palavras, o que Valdir fez foi cavar fundo para ver se o propósito de Gisele era consistente.

O propósito definido por Gisele era "tornar-se a melhor *top model* do mundo". Perceba que há uma diferença entre querer ser uma modelo famosa e querer ser "a melhor *top model* do mundo". Da mesma forma, há uma diferença entre ser melhor que a União Soviética e enviar um homem à Lua e trazê-lo de volta até o final da década. Ou, como no caso da companhia Southwest, entre oferecer passagens baratas e ser a companhia aérea que oferece as passagens mais baratas. Ter um Conceito Kelleher é saber exatamente, com toda a precisão, o que você quer e definir esse propósito num conceito simples, claro e profundo.

Resumindo, uma vez que você descubra seu potencial, precisará descobrir o núcleo, a ideia principal do seu propósito, e condensá-la numa frase simples e clara como: "Até o final desta década, os Estados Unidos precisam levar um homem à Lua e trazê-lo de volta intacto" ou "Decidi construir a melhor família do mundo" ou "Decidi ser a melhor *top model* do mundo". Esse conceito, o Conceito Kelleher, será o seu norte. Ele prioriza nossas ações e elimina a perda de tempo com devaneios e delírios que desajustam nosso foco. Na contramão desse conceito, a Síndrome do Excesso de Oportunidades desajusta nosso norte e deixa-nos confusos.

As cartas de Natal

O filósofo e terapeuta americano Lou Marinoff explica o mesmo conceito de maneira interessante. "Se temos um propósito para nossa vida, fica mais fácil encontrar o significado das circunstâncias que enfrentamos no dia a dia", disse ele. "Propósito e significado se completam. Se você não tem ou não sabe qual é seu propósito, não compreenderá o significado da vida e ficará confuso." Marinoff considera que a falta de um objetivo pessoal foi a grande praga do século XX e que ela nos acompanha no novo milênio. "Muitas pessoas carecem de um senso de objetivo ou significado em suas vidas, e isso passou a parecer normal, mas poucos são felizes dessa maneira", escreveu ele. "Geralmente não nos satisfazemos com a ideia de que nossa vida e nosso mundo são completamente acidentais e não têm pé nem cabeça. Quanto mais olhamos nessa direção, sem encontrar nenhuma outra explicação, mais difícil é suportar a vida", afirmou. Essa noção nos leva a agir de forma inconsciente, reativa, e acabamos perdendo o controle da vida, passando a viver à deriva. Conhecer seu talento e ter um propósito específico evita esse tipo de fracasso.

No Natal de 1993, Valdir Bündchen estava com sua esposa, Vânia, e com suas seis filhas em uma praia de Santa Catarina. Enquanto mãe e filhas aproveitavam o sol da manhã, Valdir preparava o almoço. A situação financeira da família Bündchen não era muito boa, e cada uma das seis meninas tinha feito um pedido especial na lista de presentes natalinos. Na hora de avaliar os pedidos das filhas, Valdir e dona Vânia ficaram sem muitas opções, pois era impossível satisfazer a todas em seus desejos sem comprometer o orçamento familiar.

Valdir estava numa encruzilhada: endividar a família ou frustrar o Natal? Seu projeto de vida não lhe permitia nenhuma das duas coisas. Pode parecer uma situação trivial, mas, em se tratando de pais e filhos, essas coisas, mesmo pequenas à primeira vista, têm muito valor. As escolhas são sempre mais complicadas do que parecem. Tanto o endividamento como a frustração não ajudariam Valdir em seu propósito de construir uma família exemplar, mas a diferença é ter um propósito que guie nossas escolhas.

O que foi, então, que Valdir fez? Ele aproveitou os momentos em que estava sozinho, enquanto cozinhava, para escrever uma carta para cada uma de suas filhas. Nas cartas, destacou o quanto cada uma, dentro de suas singularidades, era especial e importante. Além disso, explicou a elas a situação financeira da família. O momento exigia um sacrifício do time inteiro. No final, reafirmou o amor e a dedicação, tanto dele como da esposa, em oferecer o melhor, dentro do possível, para o bem-estar de cada filha. Isso teve um impacto forte e positivo na família sem prejudicar o propósito de Valdir.

A SÍNDROME DO EXCESSO DE OPORTUNIDADES

Hoje, a família Bündchen se lembra do Natal de 1993 como se lembra de poucos outros.

Além de forçá-lo a priorizar certas coisas, um propósito lhe dará ideias novas, inovadoras, e servirá como bússola para decisões que parecem irrelevantes, mas que, na maioria das vezes, são a semente daquilo que, ao se acumular, transforma-se no sucesso ou na frustração. Diante do excesso de oportunidades que as circunstâncias lhe oferecem, há uma infinidade de decisões para tomar todos os dias. Na maior parte das vezes, não são decisões grandes, mas pequenas, rotineiras, como a do exemplo anterior, que tomamos aleatoriamente, sem pensar, mas que, com o passar do tempo, afastam-nos completamente dos nossos desejos.

O Conceito Kelleher oferece algo palpável, tangível, que você usará como guia para qualquer situação. Você fará as mesmas coisas, mas com um senso de direção. A definição de um propósito, por meio de um conceito claro, como "ser a melhor *top model* do mundo", ajudará a manter o foco num único ponto, a agir de maneira apropriada ao optar por assistir a uma novela ou ler um livro, e, se a opção for ler um livro, que tipo de livro.

O efeito é muito maior, no entanto, quando nós nos deparamos com situações cruciais. São nesses momentos de estresse, de intensa pressão, que revelamos o que temos dentro de nós. Em momentos assim, o modo como fazemos escolhas definirá o rumo da nossa vida. O estresse nos diz quem somos. A pressão, o desafio, coloca-nos diante de uma bifurcação e nos faz optar. É a escolha desse caminho que definirá quem realmente somos. Nesses momentos, há apenas uma forma de escolher o certo: saber exatamente aonde queremos chegar.

Pense sobre o que aconteceu na última vez que você iniciou uma dieta ou se propôs a cumprir um programa de exercícios físicos. Por que você desistiu? Se é como a maioria das pessoas, desistiu na primeira ocasião em que diferentes opções se apresentaram à sua frente, ou seja, quando você teve, como os presos de Stanford, a oportunidade de fazer escolhas. As pessoas que realizam seus propósitos têm, por imposição própria, um número reduzido de opções. Para elas, como para os presos de Auschwitz ou como para a companhia aérea Southwest, só há uma opção: realizar aquilo que definiram como seu propósito, que foi descoberto com base no núcleo de suas habilidades e expresso por um desejo específico, simples e claro.

O segredo do mago

Permita-me analisar mais um exemplo prático. Paulo Coelho é um dos maiores fenômenos literários mundiais de todos os tempos. Traduzido praticamente para todas as línguas, já vendeu mais de 100 milhões de livros. Apesar de ser torturado pela crítica brasileira, ele é um dos autores mais lidos no mundo e é o único autor vivo mais traduzido que Shakespeare. Em 2008, o jornalista Fernando Morais lançou uma biografia de Paulo Coelho. Para escrever a obra, teve acesso a centenas de diários e a documentos até então secretos. Numa entrevista durante o lançamento do livro, um repórter perguntou a Morais o que teria levado Paulo Coelho a tornar-se o fenômeno literário que é. Morais não gaguejou ao responder. "Não foi por falta de opções que Paulo Coelho se tornou escritor", explicou ele. "Ele poderia ter seguido a carreira de compositor, a dramaturgia ou ter sido um executivo da indústria fonográfica, mas ele não queria fazer nada disso, muito menos ser engenheiro, como era o sonho de seu pai." Segundo Morais, Paulo Coelho sabia com clareza, desde cedo, que queria ser um escritor lido e reconhecido no mundo todo. "Em nenhum momento ele disse que queria ser um bom ou um ótimo escritor. Tudo que ele queria era ser um escritor lido no mundo inteiro. Ele registrou isso centenas de vezes desde que começou a escrever diários, por volta dos 12 anos de idade", contou Moraes. "É incrível ver isto posto no papel por uma criança que se tornaria o cara que vendeu 100 milhões de livros." Paulo Coelho se tornou exatamente o que queria: um escritor lido e reconhecido no mundo inteiro. Seus livros são bons? Ruins? Ele é um literato? Um intelectual? Isso não importa. Seu propósito específico era tornar-se um escritor lido e reconhecido no mundo inteiro. Esse é o segredo da magia de Paulo Coelho, é o segredo do mago.

O fenômeno da realidade virtual

Suponha que você esteja andando até a estação de metrô. No caminho, encontra um amigo. Conversam um pouco. Ele olha para você e diz: "Eu nunca tinha notado, mas agora percebo que seu nariz é um pouquinho torto para um lado. Você bateu o nariz quando criança?". Você pensa e tenta recordar alguma vez que tenha batido o nariz, mas não se lembra de nada. Você nem mesmo havia percebido que seu nariz era um pouco torto. "Não", responde. Seu amigo se aproxima, observa melhor seu nariz e reafirma. "É, é pouca coisa, mas seu nariz é inclinado para a direita."

Você segue seu caminho. Inevitavelmente, a constatação do seu amigo chama sua atenção. Se você for uma mulher e carregar um estojo de maquiagem com espelho, é bem provável que confira se seu nariz é realmente meio torto. Porém, depois de pensar um pouco, você esquece o assunto. Uma semana depois, outra pessoa faz a mesma observação. Você confere seu nariz no espelho, mas de novo não percebe nada. Um mês depois, outra pessoa lhe diz o mesmo. É bem provável que, a essa altura, ainda que seu nariz seja perfeito, você comece a perceber uma leve inclinação.

Por que isso acontece? Agimos assim porque no momento em que alguém nos diz alguma coisa criamos uma espécie de simulação virtual daquilo que ouvimos. No exemplo do nariz, quando ouvimos as palavras "um pouquinho torto", criamos sobre a imagem que já temos de nós mesmos uma adaptação do que o outro disse. Procuramos ver, mentalmente, o que o outro está vendo. Imediatamente, formamos uma nova imagem mental de nosso rosto, dessa vez com um nariz um pouco inclinado. Os psicólogos chamam esse processo cognitivo de realidade virtual. E, mesmo que essa visualização não seja real, ela é o que existe de mais próximo da realidade.

Dependendo da intensidade com que vemos essa imagem, ela se confunde com a própria realidade. Palavras e pensamentos nos levam a fazer simulações em nossa mente. Quando, por exemplo, alguém nos conta sobre um acidente que ocorreu num local que nos é familiar, nós acompanhamos, passo a passo, cada etapa do acidente, simulando os fatos que nos são contados.

Isso acontece porque nós não conseguimos compreender ou imaginar eventos ou sequências sem criar uma imagem mental desses acontecimentos. E o mais importante é que nós não conseguimos criar uma imagem sem evocar os mesmos módulos que evocamos quando vemos ou fazemos atividades reais. Quando penso num nariz torto, por exemplo, eu evoco as mesmas ações do cérebro que evocaria se me olhasse no espelho e visse que meu nariz realmente é torto. O mesmo processo acontece quando alguém estabelece uma meta ou define um propósito.

Um estudo realizado por uma equipe da Universidade de New South Wales, em Sydney, liderado pelo psicólogo Mark Dadds, revelou que uma pessoa saliva mais ao beber água se imaginar que está bebendo limonada. Ainda mais surpreendente, o estudo revelou que salivamos menos quando bebemos limonada pensando que é água. Quando imaginamos uma luz piscando, ativamos a área do cérebro que usaríamos para ver a lâmpada piscando, caso ela de fato existisse. Quando imaginamos alguém tocando nossa pele, o cérebro ativa a área que reage ao tato.

A mesma coisa acontece quando definimos um objetivo claro e específico. Nós o incorporamos mentalmente, visualizando-o com cada vez mais clareza, criando um estado mental favorável para tornar nosso propósito uma realidade. Pense, por um instante, sobre o efeito que um objetivo como "tornar-se a melhor *top model* do mundo" pode ter na consciência de uma menina de 14 anos.

Por todas essas razões, definir o propósito do seu empreendimento, seja na vida particular, na empresa ou numa atividade social, é tão poderoso para ajudar a simular a realização desse propósito. A imaginação cria emoções positivas, faz com que você se sinta poderoso. Poder e vontade criam ação, e a ação, resultados.

Quando você descobre seu talento e transforma-o num propósito específico, como "ser a melhor do mundo", sua mente adapta-se a esse desejo. Tente pensar na construção de uma casa sem evocar essa imagem. É impossível. Da mesma forma, o sucesso precisa ser criado em sua mente para, depois, tornar-se real. A maneira de alcançar o sucesso é descobrir seu talento, definir seu propósito e criar um Conceito Kelleher que o proteja contra a Síndrome do Excesso de Oportunidades.

SÍNTESE

Até aqui, vimos que pessoas bem-sucedidas descobrem seu talento e constroem sua carreira sobre esse talento natural. Vimos também que elas criam um conceito específico, tal como o Conceito Kelleher, que serve como parâmetro, referência, para fazerem suas escolhas. O Conceito Kelleher é o núcleo do propósito de vida de uma pessoa ou de uma empresa. Se você estudar a biografia de pessoas que alcançaram um desempenho notável, em qualquer campo, perceberá que todas tinham em mente, com absoluta clareza, aquilo que buscavam.

CAPÍTULO 3

A LEI DA TRIPLA CONVERGÊNCIA

Por que tantas pessoas bem-sucedidas estão insatisfeitas e infelizes? Descubra como ter sucesso e felicidade ao mesmo tempo

Em fevereiro de 2006, a escritora americana Elizabeth Gilbert lançou o livro *Comer, rezar, amar*. Elizabeth já havia escrito outros livros, mas nada parecido com essa obra. Assim que foi lançado, *Comer, rezar, amar* se tornou um fenômeno de vendas nos Estados Unidos. Já nas primeiras semanas entrou na famosa lista dos livros mais vendidos publicada no jornal *The New York Times*. Poucos meses depois, o sucesso se repetiu em dezenas de outros países, em todos os cantos do mundo. Em três anos, *Comer, rezar, amar* vendeu 5 milhões de exemplares, foi traduzido para 26 idiomas e transformou Elizabeth em uma das mulheres mais influentes do planeta. Elizabeth é bonita. É alta, magra, loira, com intensos olhos azuis e um sorriso largo e simpático. Ela hoje é uma mulher feliz e realizada, mas nem sempre foi assim.

Aos 32 anos, Elizabeth parecia ter a vida encaminhada. Era casada e morava numa casa enorme num subúrbio de Nova York, além de ter um apartamento em Manhattan. Trabalhava numa prestigiosa revista e já tinha sucesso como escritora e roteirista. Ela e o marido decidiram, então, ter o primeiro filho. Tudo parecia perfeito. Porém, havia um problema: em vez de sentir-se feliz, Elizabeth estava insatisfeita e triste e muitas vezes entrava em pânico. Ela tinha a sensação de que engravidar seria um erro. E, pior, não queria mais estar casada nem viver naquela casa enorme.

Ao se questionar sobre os motivos de tanta insatisfação, ela vacilava, sentia-se insegura e confusa. "Como pude ser tão imbecil a ponto de me envolver tão intensamente num casamento e depois querer cair fora?", perguntava-se. "Havíamos comprado aquela casa havia um ano. Eu não a queria desde o princípio? Eu não gostava dela? Por que eu perambulava pelos corredores à noite, choramingando? Eu não estava orgulhosa de tudo o que havíamos conquistado? Eu havia participado ativamente de cada instante da criação daquela vida... Então por que sentia que nada daquilo combinava comigo?"

Alguns meses depois, Elizabeth deixou o marido e saiu de casa. Após a separação, conheceu outro homem. Eles se apaixonaram. O relacionamento parecia ter dado uma nova energia à sua vida, mas a relação não passou de um fogo de palha que se consumiu nos meses seguintes. Outra vez o desespero tomou conta dela.

Quando percebeu que o problema, na verdade, era ela, e não o mundo à sua volta, Elizabeth sentiu que a mudança precisava partir de dentro dela. Alguma coisa lhe dizia que ela estava olhando o mundo pelo lado errado do telescópio. "Eu estava absorta em coisas que não queria e perdi o foco do que era mais importante", contou ela. "Tive de admitir que eu precisava de uma reviravolta que me devolvesse o comando da vida." A partir de profundas e dolorosas reflexões, ela tomou uma decisão inusitada: largou tudo para viajar por um ano em busca de respostas para sua vida. Os destinos escolhidos foram Itália, Índia e Indonésia. O propósito da viagem era encontrar o prazer na Itália, a fé na Índia e o amor na Indonésia.

Sem dinheiro, ela convenceu seu editor a custear a viagem. Em contrapartida, escreveria um livro sobre a experiência. *Comer, rezar e amar* é um livro de memórias sobre essa viagem. Desde sua publicação, milhares de pessoas iniciaram uma romaria por esses países, seguindo os passos de Elizabeth. Certo dia, num bate-papo com leitores, uma fã quis saber como a autora se sentia em relação ao fato de que as pessoas estavam percorrendo o roteiro que ela descreveu no livro em busca das respostas que ela obteve. Elizabeth sorriu. Seus lábios finos insinuaram um movimento que foi logo interrompido por outra ideia que se interpôs. Ela se deteve por um instante. Depois, respondeu: "Recebo inúmeros e-mails pedindo informações sobre o roteiro que fiz enquanto escrevia o livro. Pessoas dizem que conseguiram encontrar quase todas as pizzarias italianas que descrevo no livro e pedem informações precisas sobre os lugares em que estive na Índia e na Indonésia. Ok, tudo isso é excelente e inspirador, mas a chave da questão não é seguir os passos da minha viagem, ir aos lugares onde eu fui. O ponto crucial é que as pessoas, assim como eu, façam a si mesmas as perguntas que as levarão à sua jornada", refletiu ela.

Em seguida, ela explicou que, durante meses, andou às voltas com uma série de perguntas que levou às suas decisões. "O que eu realmente quero? Por que estou infeliz? O que de fato mudaria minha vida? Por que estou onde estou? Para onde estou indo? O que estou fazendo com essa vida maravilhosa que me foi dada?", explicou ela.

As respostas não vieram a Elizabeth num relâmpago. "Foram quatro anos de sofrimento, desespero e, muitas vezes, de uma intensa solidão em que eu me perguntava constantemente: se eu pudesse fazer alguma coisa, qualquer coisa, que me fizesse feliz, o que seria? Eu me estimulava a não limitar minha resposta à suposta realidade que eu vivia." Tudo o que Elizabeth queria era descobrir o que era preciso para que se sentisse realizada e feliz. "Primeiro, eu queria essa resposta. Depois, pensaria num jeito de torná-la uma realidade. E isso fez com que eu optasse por essa viagem", disse ela. Em seguida, concluiu: "Eu acho que todos somos chamados a responder a essas perguntas em determinado momento de nossas vidas: Qual é a missão que nos trouxe aqui e o que está nos impedindo de realizá-la?".

Aos 15 anos, Elizabeth havia definido que queria ser uma escritora. Aos 30 anos, ela percebeu que seu estilo de vida a estava desviando desse sonho e se deu conta de que se encontrava numa encruzilhada, seguindo num trote improvisado a partir do que via à sua volta e ignorando seu desejo mais profundo. Muitas vezes, vivemos assim a vida inteira. Com medo das respostas, evitamos perguntas. Esse medo limita-nos, aprisiona-nos a definições irreais que mascaram nossa insatisfação, mas que não nos satisfazem. Insatisfeitos, arrastamos essa carga falsa conosco por todo lugar. Em outras palavras, relutamos em nos desfazer das coisas que conquistamos ao longo do tempo: uma casa grande, o sonho de ter um filho em determinado ano, um cônjuge, uma carreira que iniciamos. Temos medo de enfrentar o novo. Enquanto vivermos num mundo de suposições e análises externas, não poderemos chegar a respostas efetivas. Nossa incerteza sobre nós limita nossa curiosidade acerca do que podemos fazer. Por isso, a solução dos nossos problemas deve partir de dentro de nós.

A história de Elizabeth é interessante porque traz um exemplo prático do que vimos nos dois primeiros capítulos deste livro. Ou seja, enquanto ela seguia o trote das pessoas à sua volta, sentia-se insatisfeita e decepcionada e sua vida parecia ter perdido o sentido, mas, quando se voltou para a busca do seu desejo interior, houve uma mudança profunda, que deu um sentido novo à sua vida. Além disso, Elizabeth nos dá pistas claras sobre como conduzir essa busca interior. O objetivo deste capítulo é descobrir como construir um propósito que esteja alinhado com quem realmente somos.

A teoria de David Ricardo

No início do século XIX, o economista inglês David Ricardo desenvolveu a base de uma teoria de livre comércio entre as nações, fundamentada na ideia de que há uma única maneira de todos os países se beneficiarem em transações comerciais. Qual é essa maneira? Que cada país se especialize no produto em que detém maior vantagem em comparação aos outros. Como exemplo, David Ricardo afirmou que é possível produzir vinho e tecidos com menos trabalho

A LEI DA TRIPLA CONVERGÊNCIA

em Portugal do que na Inglaterra. No entanto, o custo relativo da produção de tecidos na Inglaterra é menor do que em Portugal. Ou seja, a Inglaterra tem um custo maior para produzir vinho e um custo apenas moderado para produzir tecidos. Portugal, por sua vez, tem facilidade para produzir ambos. Porém, mesmo que seja mais barato produzir tecidos em Portugal, ainda seria melhor para o país produzir vinho, gerar um excedente de produção e, com isso, comprar tecidos fabricados pelos ingleses. Nesse caso, disse David Ricardo, a Inglaterra se beneficiaria desse comércio, pois seu custo para a produção de tecidos permaneceria o mesmo, mas obteria vinho a custos menores do que se o produzisse. Portugal também se beneficiaria da especialização em vinho e obteria ganhos de comércio. Em outras palavras, David Ricardo sugeriu que cada país se concentrasse em um nicho de mercado baseado em sua vantagem comparativa em relação a outros países, beneficiando-se, dessa forma, em setores nos quais é mais eficiente e comercializando esses produtos com outros países. David Ricardo chamou essa teoria de Princípio da Vantagem Comparativa.

Faça uma ginástica mental e traga esse conceito para sua realidade individual. Imagine um mundo onde cada pessoa tivesse a oportunidade plena de desenvolver seu talento ao máximo. Suponha, por exemplo, que seu talento fosse a pintura e que você tivesse à disposição tudo o que fosse necessário para desenvolvê-lo. Nesse caso, seu propósito, ao longo da vida, seria aprimorar essa habilidade com conhecimento, técnica e prática. Agora, imagine que isso acontecesse com todas as pessoas e em todas as áreas. Cada pessoa desenvolveria o melhor que há em si e ofereceria o que produz para troca. Será que isso não alteraria a história da humanidade? De acordo com a teoria de David Ricardo, cada país seria beneficiado caso se especializasse no produto em que detém maior vantagem comparativa. Isso melhoraria a situação de todos os países envolvidos em trocas internacionais. Se, da mesma forma, cada pessoa desenvolvesse suas capacidades e se especializasse na área onde está seu talento natural, o mundo todo não se beneficiaria? E por que não é assim?

Toda pessoa quer, naturalmente, ser tudo o que pode ser. Esse desejo é intrínseco à natureza do ser humano. Não há como fugir dele, porque esse é o objetivo último da natureza. O sucesso está em nos tornarmos tudo o que somos capazes de ser. Em outras palavras, o desejo pelo sucesso é, na verdade, um anseio inato por uma vida mais produtiva, próspera e abundante dentro de nossas capacidades. Por que, então, se a ambição pela evolução é inata, ela parece tão rara entre os humanos? Por que tantas pessoas vivem sem atingi-la?

O problema está na maneira como fazemos as escolhas mais importantes de nossa vida. Na hora de definirmos nosso propósito, em vez de olhar para nossos talentos e ver onde estão nossas vantagens individuais, cometemos o erro de olhar para as circunstâncias externas. Vemos o que os outros estão fazendo, quais resultados estão obtendo e fazemos nossas escolhas com base nessa análise. Ou seja, em vez de usarmos o Princípio da Vantagem Comparativa, usamos outro princípio: o Princípio da Análise Comparativa. Enquanto no Princípio da Vantagem Comparativa seguimos nosso talento natural para definir um propósito, no Princípio da Análise Comparativa traçamos nosso caminho a partir do estudo de fatores externos, alheios ao nosso talento. Agindo dessa forma, ignoramos nossas vantagens pessoais e seguimos um caminho completamente estranho ao nosso talento. Anos depois, perguntamo-nos por que o plano não deu certo. Por que as coisas são tão complicadas?

O sucesso nunca é resultado de fatores externos. Fazer nossas escolhas com base em quais mercados estão em alta ou no que deu certo para os outros é como usar o mapa errado para chegar a determinada cidade só porque outra pessoa chegou onde queria com esse mesmo mapa. Não percebemos que as cidades são distintas e que, por isso, nunca chegaremos ao local desejado. Observe o caso das pessoas que seguem o caminho trilhado por Elizabeth Gilbert em busca de soluções para seus problemas só porque ela encontrou respostas para seus questionamentos pessoais. Essas pessoas nunca obterão o mesmo resultado que Elizabeth por um motivo muito simples: as perguntas não são as mesmas. O problema é que, muitas vezes, caímos na armadilha do Princípio da Análise Comparativa.

A influência que nos torna ignorantes — Parte 1

Se as respostas para nossas perguntas estão dentro de nós, deixar-se influenciar por pessoas e fatores externos pode ser fatal para o sucesso e a felicidade. Você já se perguntou até que ponto a influência de outras pessoas é responsável por suas escolhas mais importantes? Será que a influência de outras pessoas é capaz de alterar sua opinião mesmo sobre coisas das quais você tem certeza? Antes de responder, analise o estudo a seguir.

Na década de 1950, Solomon Asch, um professor de psicologia da Universidade de Swarthmore, na Pensilvânia, quis saber com precisão até que ponto somos influenciados em nossas decisões pelas opiniões de outras pessoas. Para isso, Solomon selecionou um grupo de estudantes voluntários e disse-lhes que participariam de um estudo sobre acuidade visual. Ao mesmo tempo, contratou seis jovens atores, que também participariam da experiência. Ao longo do estudo, Solomon colocou cada estudante, individualmente, junto ao grupo de atores contratados.

O teste era muito simples. Numa cartolina, Solomon mostrava à pessoa três linhas verticais de diferentes tamanhos. A linha da esquerda tinha dois centímetros. A linha do meio, cinco centímetros, e a linha da esquerda, três centímetros. Em seguida, apresentava uma segunda cartolina com apenas uma linha. Essa linha tinha cinco centímetros, exatamente igual à linha do meio da primeira cartolina.

Solomon solicitava aos alunos que dissessem em voz alta qual das três linhas anteriores era mais próxima, em tamanho, da quarta linha. A resposta, como você deve ter percebido, era simples e absolutamente inconfundível.

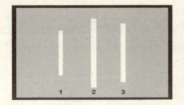 

Contudo, Solomon havia combinado com os seis atores contratados que optariam, de forma unânime, pela mesma resposta. A resposta, no entanto, estaria errada. Em vez de dizerem que a linha 4 tem o mesmo tamanho da linha 2, eles disseram que tinha o mesmo tamanho da linha 3. Apesar da evidência da resposta, o estudante voluntário, estranhamente, concordava com o grupo, optando pela alternativa errada. Solomon repetiu a mesma experiência com 130 estudantes. Apesar da absurda incoerência, 75% dos alunos repetiram a resposta dos atores.

Num segundo estudo, Solomon seguiu exatamente os mesmos procedimentos, mas acrescentou ao grupo de atores um que divergisse da opinião dos demais, optando pela alternativa correta.

O resultado foi surpreendente. Ter uma única pessoa divergindo do restante do grupo foi suficiente para todos os voluntários alterarem o resultado. Dessa vez, todos os alunos escolheram a resposta certa. É estranho como existe em nós uma tendência natural a seguir o Princípio da Análise Comparativa.

A influência que nos torna ignorantes — Parte 2

Suponha, por exemplo, que você tenha chegado recentemente numa cidade desconhecida. Está na hora do almoço e você está à procura de um restaurante. O primeiro restaurante pelo qual passa possui uma aparência impecável. O ambiente é limpo, bem iluminado, discreto e agradavelmente decorado, mas o lugar está vazio. O mesmo acontece com o segundo e com o terceiro restaurantes. O quarto, entretanto, não possui nada em comum com os anteriores. O ambiente é escuro, a aparência é suspeita e os cuidados com higiene não parecem ser os mais apropriados. Há, porém, um detalhe: ao contrário dos outros, este restaurante está praticamente lotado. As mesas estão cheias de pessoas alegres, aparentemente satisfeitas. O que você faria? Se você é como a maioria, já estará sentado numa das poucas mesas vagas.

Por que isso acontece? Porque essa é a maneira como fazemos nossas escolhas. Somos seduzidos pela análise comparativa. Quando vemos um restaurante lotado, nossa mente o compara aos outros, que estavam vazios, e conclui que a comida desse restaurante deve ser fantástica. Na maioria desses casos, a análise comparativa parece natural. Nós a usamos diariamente para fazer escolhas. Como no exemplo dado aqui, deduzimos que as pessoas escolheram o melhor restaurante. Mas é sempre assim?

Imagine que seu prato preferido seja filé de peixe com salada de alface. Ao avaliar o cardápio do restaurante que está lotado, você descobre que a casa só oferece bife à milanesa com fritas. Você olha à sua volta. É o que todo mundo está comendo. Você pensa um pouco e decide, mesmo contra sua vontade, pedir um bife à milanesa com batatas. Afinal, essa é a sua única opção, certo?

Mais tarde, você pergunta ao garçom qual é o segredo do sucesso do restaurante e por que os outros restaurantes estão vazios. O garçom sorri e responde: "Há uma tradição na cidade, seguida pela maior parte da população, de comer bife com fritas às quartas-feiras. Hoje é quarta-feira, e nossa especialidade é bife com fritas. Os outros restaurantes oferecem apenas variedades de peixes". O garçom faz uma pausa e conclui: "Esse movimento só acontece às quartas-feiras. No restante da semana, os outros ficam lotados e o nosso, vazio". Você deixa o restaurante desolado e insatisfeito, perguntando a si mesmo como pôde ter sido tão estúpido e não ter se informado antes.

A diferença entre o Princípio da Vantagem Comparativa e o Princípio da Análise Comparativa é que o primeiro parte de uma profunda compreensão das nossas vantagens pessoais enquanto o segundo se estrutura em suposições que criamos a partir do que vemos. Pessoas que alcançam resultados extraordinários sempre optam pelo Princípio da Vantagem Comparativa. Ao fazerem isso, elas criam uma legião de seguidores que, usando o Princípio da Análise Comparativa, percebem os resultados que elas alcançaram e tentam seguir o mesmo caminho, imaginando que terão os mesmos resultados, mas sempre se frustrarão.

A Lei da tripla convergência

Você se lembra da história das irmãs Polgár, vista no primeiro capítulo? Desde muito cedo, elas foram treinadas, instruídas e educadas para o propósito específico de se tornarem as melhores jogadoras de xadrez. Após uma vida inteira de árdua dedicação ao estudo e à prática do xadrez, elas quase chegaram ao topo, mas então desistiram da carreira. Agora, compare a história das irmãs Polgár com a história de Elizabeth Gilbert. Elizabeth, a certa altura da vida, decidiu resgatar seu sonho, sem se importar com as consequências. Em outras palavras, ela renunciou a um estilo de vida para ir atrás de seu sonho. As irmãs Polgár, ao contrário, abandonaram seu sonho por um estilo de vida. Em certo momento do caminho, elas chegaram à conclusão de que a vida é muito mais do que uma carreira, ou, pelo menos, do que a carreira que teriam no xadrez. Por que isso ocorre?

A resposta está na maneira como foi construído seu propósito. Nesse capítulo, vamos analisar como as pessoas que têm sucesso e felicidade constroem seu propósito. Partindo do vício da análise comparativa, vamos alimentar o hábito de usar o Princípio da Vantagem Comparativa para construir nosso Conceito Kelleher. Um bom começo é compreender a diferença entre a história de Elizabeth Gilbert e a história das irmãs Polgár. Todas tiveram um propósito definido e seguiram um longo caminho para concretizá-lo, mas, no final, como vimos, os resultados foram muito distintos. Onde está o erro das irmãs Polgár? A resposta está no núcleo central de seu propósito. Para construir um Conceito Kelleher que reflita o núcleo das nossas habilidades, precisamos encontrar o ponto de convergência de três respostas:

1. Qual é seu talento?
2. Qual é sua paixão?
3. Como você transformará isso em renda?

A convergência desses três fatores — talento, paixão e renda — representa a Lei da tripla convergência. O cumprimento dessa lei na hora de definir o propósito fará toda a diferença. É ela que distingue as histórias de Elizabeth Gilbert e das irmãs Polgár. Elizabeth construiu seu propósito a partir de uma compreensão pessoal desses três fatores. Ela descobriu, por meio de reflexão profunda, o ponto exato em que talento, paixão e renda se encontram. As irmãs Polgár tiveram seu propósito estabelecido pelo pai, László. E de onde ele tirou esse propósito? Apenas da ideia de que o xadrez era uma prática adequada para realizar sua experiência. O erro de László, portanto, foi ignorar a individualidade das filhas na elaboração do Conceito Kelleher. A técnica e prática excessivas, somadas ao estímulo obtido quando alguém se torna excelente em algum esporte, transformaram as irmãs em grandes jogadoras, mas a falta de um ou mais fatores que compõem a Lei da tripla convergência as fez desistir.

A Lei da tripla convergência

Explorar o melhor que há em nós é uma tendência lógica, mas temos dificuldades para entender, de forma exata e clara, onde está nosso potencial. Sem essa compreensão, nós nos sentimos inseguros e falta-nos a autoconfiança de que somos capazes, de que possuímos as habilidades necessárias. Respondendo a essas três perguntas com seriedade, descobriremos nosso potencial e, e consequentemente, eliminaremos a insegurança gerada pela incerteza. Qualquer pessoa que compreenda a Lei da tripla convergência e invista tempo e recursos em desenvolver seu talento atingirá resultados excepcionais.

Chegar ao ponto de convergência entre talento, paixão e renda, porém, pode não ser tão simples. É preciso ter clareza de que não é o desejo, a meta, a estratégia ou a intenção de alcançar determinado propósito que o fará ter êxito. Esse propósito deve ser o resultado de uma compreensão clara da Lei da tripla convergência, o ponto exato onde os três fatores da lei convergem. Para facilitar essa tarefa, vamos analisar com mais detalhes cada um desses fatores.

1. Talento

Muitas vezes, por praticarmos algo durante anos, criamos certa competência para essa tarefa e a confundimos com talento. Descobrir qual é nosso talento vai muito além daquilo no qual nos sentimos competentes. Essa competência pode ser resultado da prática. Imagine, por exemplo, que, após longos anos de estudo em matemática, você se torne muito bom em cálculos. Isso significa que seu talento está na matemática? Não necessariamente. Você pode ter uma inclinação para o cálculo e a prática pode tê-lo tornado muito bom, mas seu talento está realmente aí? Você passa horas e horas fazendo cálculos por uma pura vontade impulsiva?

Muitas vezes, iludidos pela armadilha da competência, seguimos carreiras em que alcançamos certo limite, mas nunca obteremos maestria se faltar o talento. Pense outra vez na história das irmãs Polgár. Elas são um exemplo prático. O que aconteceu com elas? Tornaram-se especialistas em xadrez, conquistaram uma posição razoável, mas nunca realizaram seu sonho de vencer um campeonato mundial e, pior, desistiram da profissão, argumentando que havia coisas mais importantes na vida. Claro que sim: havia um talento que precisava ser desenvolvido. Lembre-se de que talento é aquela aptidão natural que o permite exercer determinada atividade, difícil para os outros, com tremenda naturalidade, sem limite de tempo. Por isso, o talento é o impulso natural da evolução da vida palpitando em nós.

2. Paixão

Você conhece alguma pessoa que parece ter um motor interno que a move? Alguém que simplesmente avança pela vida? Que define um objetivo e parece se divertir enquanto age para atingi-lo? Que possui uma energia contagiante? Essa pessoa, além de talento, tem paixão pelo que faz. Talento é o que define sentir-se realizado ou não. A questão do trabalho feito com talento é que ele flui naturalmente. Porém, dentro do campo do seu talento, existe algo pelo qual você sente um interesse irresistível, algo que é sua paixão. Escrever é um talento. Existem, porém, inúmeras formas de aplicar esse talento. Você pode ser jornalista, publicitário ou escritor, e, mesmo dentro desses campos, existem inúmeras opções. Para responder à segunda questão da Lei da tripla convergência, você precisa descobrir, entre essas opções, aquela pela qual você possui verdadeira paixão.

Há uma forma muito simples de saber se você está atuando no campo onde está sua paixão: se você perde a noção do tempo enquanto trabalha, se não vê problema em chegar cedo ao trabalho e sair tarde, então você tem prazer no que faz, e o prazer é o fruto da paixão. O escritor John Irving confessou, certa vez, que escrevia doze horas diárias durante inúmeros dias consecutivos. Questionado sobre o que o fazia trabalhar por tanto tempo, ele disse: "O fator implícito é o amor. A razão pela qual consigo trabalhar tanto é que escrever não parece ser um trabalho para mim". Irving, além de talento, tinha amor, ou paixão, pelo seu trabalho. Pessoas que são apaixonadas pelo que fazem perseguem suas prioridades constantemente. Elas procuram com extrema tenacidade as coisas necessárias para atingir seus objetivos, e, assim que as encontram, imediatamente as enfrentam e as dominam, seguindo adiante. Porém, é preciso ter cuidado: a resposta à segunda questão não está naquilo que estimula sua paixão, mas naquilo pelo qual você é tão apaixonado que o faria sem nenhuma outra recompensa a não ser o simples prazer de fazê-lo.

3. Renda

Muitos anos atrás, o filósofo alemão Friedrich Nietzsche se perguntou se haveria, por acaso, algo capaz de destruir alguém mais rapidamente do que trabalhar, pensar e sentir sem uma necessidade interior, sem uma escolha profundamente pessoal, sem prazer, como um autômato do prazer. Isso não é novidade. O prazer da vida vem de dentro de nós, da necessidade de desenvolver nosso talento e nossa paixão, mas existe um terceiro fator indispensável para obter sucesso e felicidade: renda. Sem esse fator, seu talento e sua paixão terão pouca serventia. Uma atividade que envolve apenas talento e paixão e não traz resultados financeiros não é trabalho, e sim um hobby, e ninguém sobrevive do seu hobby.

Contudo, a boa notícia é que a possibilidade de encontrar seu talento e sua paixão e não conseguir transformá-los em renda é muito remota. O problema no que diz respeito a esse fator é outro: a maioria das pessoas nunca chega a seguir a Lei da tripla convergência porque há uma tendência comum a se focar apenas na renda. A pergunta na hora de escolher uma profissão parece ser sempre a mesma: Como posso ganhar dinheiro? A única forma de obter dinheiro é por meio da oferta de serviços e produtos. Nós trocamos nossos serviços ou produtos por dinheiro, razão pela qual nossa renda sempre será proporcional à qualidade do nosso serviço. Quanto melhor for o serviço ou o produto, melhor será a renda. Isso significa, de maneira muito óbvia, que o sucesso não é consequência do dinheiro, mas o dinheiro é consequência do sucesso. Primeiro, precisamos alcançar o sucesso para, depois, como consequência, obter dinheiro. Se você voltar ao capítulo anterior e analisar o propósito de Paulo Coelho, de Gisele Bündchen ou mesmo de Elizabeth Gilbert, verá que nenhum teve como foco determinada soma de dinheiro, mas o desenvolvimento de seus respectivos potenciais. Porém, o fator dinheiro é intrínseco a cada potencial.

Estabelecer um propósito focado exclusivamente na renda é um erro, da mesma forma como é um erro ignorar esse fator. Se você se tornar o melhor do mundo em alguma coisa, mas não conseguir converter isso em resultados financeiros, terá de abandonar o que faz em prol de algo que lhe sustente. Por isso, ao criar seu Conceito Kelleher, você precisa levar em conta esse fator. Não se permita ser enganado por um discurso contrário à essa ideia. Ao estabelecer um propósito, o fator renda é tão importante quanto o talento e a paixão. A diferença é que, uma vez estabelecida a forma como transformará seu talento e sua paixão em renda, você poderá esquecer esse fator e se concentrar, basicamente, no desenvolvimento do talento e da paixão.

A Lei da tripla convergência e o Conceito Kelleher

Por tudo isso, elaborar um Conceito Kelleher não é desenvolver apenas um dos três fatores: talento, paixão ou renda. Focar-se em apenas um desses fatores pode até levá-lo à competência, ao destaque, mas nunca o levará à excelência ou à felicidade. Para alcançar a excelência, você precisa encontrar o ponto de convergência entre os três fatores. É a partir dessa convergência que as pessoas com um desempenho extraordinário tomam suas decisões. Veja o caso de Warren Buffet. Em 1998, ele aplicou 290 milhões de dólares no banco Wells Fargo. Ao ser questionado sobre o que o havia levado a fazer esse investimento, ele disse: "Eles fazem o que sabem fazer bem e deixam suas habilidades, não seu ego, determinar o que devem atingir", justificou ele. Observe bem: fazem o que sabem fazer bem e deixam suas habilidades, não seu ego, determinar seu propósito.

Para obter esse tipo de clareza em seu propósito, você precisa estar alinhado com a Lei da tripla convergência. Ela lhe oferecerá um terreno fértil e seguro para desenvolver o melhor que existe em você. Esse propósito, porém, não pode ser a ambição de ser melhor que os outros, mas de ser o melhor que você pode ser. Em outras palavras, seu objetivo deve ser a ambição de compreender aquilo em que você pode ser o melhor, levando em conta seu potencial. Essa ambição deve partir do Princípio da Vantagem Comparativa. Seu núcleo deve ser seu potencial individual, e não uma vontade baseada em circunstâncias externas. Entender essa distinção é absolutamente crucial.

A definição de um Conceito Kelleher, como resultado da compreensão da Lei da tripla convergência, oferecerá um guia seguro para suas decisões e seus esforços, como a busca de conhecimento, técnica e prática. A ideia é muito simples. Observe Gisele Bündchen e seu conceito de "ser a melhor *top model* do mundo", Elizabeth Gilbert e seu conceito de "publicar alguma coisa, qualquer coisa, antes de morrer" e Paulo Coelho com seu conceito de "ser um escritor lido no mundo inteiro". O que eles têm em comum? Todos compuseram uma ideia simples e cristalina do que queriam, estabelecida sobre talento, paixão e renda, e usaram-na como conceito para as decisões em suas respectivas vidas. Essa atitude trouxe resultados impressionantes.

Reveja os questionamentos de Elizabeth Gilbert expostos no início deste capítulo. Ao questionar seu propósito sem medo das respostas, Gilbert combinou e preencheu vários aspectos importantes de sua personalidade, mantendo o foco no seu propósito enquanto expandia suas fontes de significado. A mesma coisa aconteceu com Gisele. No início de sua carreira, sua beleza não se adequava ao que estava em evidência no mundo da moda. Gisele tem um corpo delineado, cheio de curvas, com seios mais fartos. Seu andar é cheio de ginga e sensualidade, o que é o contrário do que se exigia na época, quando as modelos eram quase esqueléticas e o corpo exigido para desfilar era reto, sem curvas e com seios pequenos. Imagine se ela tivesse mudado seu objetivo com base nas circunstâncias externas? Gisele manteve sua originalidade e não tentou se adaptar à moda. Ela apenas manteve seu estilo e, por mais incrível que possa parecer, conseguiu fazer com que a moda adotasse esse estilo.

Encontre sua singularidade

Lembre-se: o fato de fazermos algo há anos não significa necessariamente que essa é a nossa habilidade. E é impossível atingir a excelência se o que fazemos não representa o núcleo de nossa habilidade. Da mesma forma, uma oportunidade única na vida não tem importância alguma se não estiver alinhada com nosso propósito. Mas nós sempre temos certa suspeita em relação a esse tipo de afirmação. Temos medo de perder uma chance e não termos outra. Dizer "não" para grandes oportunidades exige uma tremenda disciplina, mas, sem essa disciplina, corremos um risco muito grande de andar em círculos.

Um caminho para entender esse processo é estudar um pouco mais fundo a história de algumas empresas. Observe, por exemplo, o resultado de uma análise das empresas Walmart, Target e Sears, três gigantes americanas no setor de vendas a varejo. Clientes, empregados, investidores e qualquer pessoa têm uma ideia clara sobre o que a Walmart e a Target têm a oferecer. O conceito da Walmart é disponibilizar aos consumidores um vasto sortimento de produtos de boa qualidade com o menor preço possível. A estratégia para viabilizar essa meta é reduzir ao máximo a diferença de custo entre o fornecedor e o consumidor e repassar essa economia ao cliente em um preço final mais baixo. Após começar com uma única loja, a Walmart já chegou a cerca de 6 mil lojas espalhadas pelo mundo.

O conceito da Target é diferente. Suas lojas possuem uma aparência um pouco melhor, a atenção com os consumidores também é um pouco melhor e os produtos oferecidos têm mais qualidade. Mesmo que seus preços não sejam tão baixos, são bastante acessíveis se considerarmos o fator custo-benefício. As duas empresas desenvolveram um conceito baseado no seu potencial e deixam claro, a qualquer cliente, qual é esse potencial.

A Sears, em contrapartida, desenvolveu seu propósito a partir da observação de fatores externos. Décadas atrás, as pessoas sabiam exatamente o que a Sears tinha a oferecer. Para o cliente, estava claro quem eram suas concorrentes e quais eram as vantagens e desvantagens que a empresa oferecia em relação a essas concorrentes, mas, com o passar dos anos, a posição da Sears foi se tornando cada vez mais confusa até seu conceito interno se perder completamente. O problema logo afetou seus clientes, deixando-os igualmente confusos sobre o motivo que os levaria a uma loja Sears em vez de irem às concorrentes. Como resultado, a Sears passou a perder clientes.

Quando os consumidores começaram a trocar a Sears por outras lojas, a empresa, desnorteada, iniciou uma série de mudanças. Na década de 1980, entrou no setor de serviços financeiros; na década de 1990, deixou os serviços financeiros e focou-se mais no setor de vestuário; em seguida, desviou-se mais uma vez para o setor de ferramentas. Então, fechou suas lojas em shoppings para abrir lojas "tudo em um" e depois criou lojas separadas para os setores de móveis e ferramentas pesadas. Em 1995, encerrou suas vendas por catálogo, que haviam funcionado por cerca de cem anos. Em 2002, voltou a vender por catálogo. Primeiro, enfatizou marcas exclusivas, como Craftsman, DieHard e Kenmore, e, depois, adotou sua marca própria.

Em 2002, Alan Lacy assumiu a direção da empresa. Numa entrevista ao *Wall Street Journal*, ele reconheceu a crise de identidade da empresa e disse que sua primeira missão seria responder a uma importante pergunta: por que um consumidor deveria ir à Sears em vez de ir à Target? A partir dessa resposta, a empresa redefiniria seu conceito. Em outras palavras, Alan Lacy propôs-se a descobrir onde estava a singularidade da Sears. Para isso, a empresa teve de olhar para dentro de si e definir um propósito novo, que partisse do seu potencial.

Olhando por outro prisma, todos nós temos de colocar diante de nós e tentar responder a pergunta que Alan Lacy fez sobre

A LEI DA TRIPLA CONVERGÊNCIA

a Sears. O que você tem a oferecer? Por que isso é melhor do que as outras opções oferecidas pela concorrência? E como você pode se especializar profissionalmente nesse setor? As respostas a essas perguntas nos levarão, inevitavelmente, ao núcleo do nosso propósito. Se nós a respondermos com humildade, certamente estarão embasadas na convergência de talento, paixão e renda.

Se você possui um escritório de advocacia, por exemplo, deve saber com clareza qual motivo fará um cliente procurar seus serviços e não os da concorrência. Se você tem um salão de beleza, o que você oferece ao consumidor que o diferencia dos outros salões? Não é uma questão de ser melhor ou pior, mas de ter algo que vá além, que o distinga da maioria. Essa distinção precisa estar no plano criativo, e não no plano competitivo. O que isso quer dizer? Isso quer dizer que você precisa buscar essa distinção dentro de você e desenvolver seu potencial sem tentar imitar o sucesso dos outros. Se essa distinção estiver fundamentada em seu talento, você trabalhará com paixão, e o sucesso financeiro será praticamente inevitável.

O processo como parte do resultado

Avançar na Lei da tripla convergência, porém, pode ser um processo demorado. Talvez poucos exemplos evidenciem mais a lentidão desse processo do que a trajetória da própria Gisele Bündchen. Observe a carreira dela. Primeiro, ela venceu a etapa de um concurso em Porto Alegre; depois, ficou em segundo lugar na etapa nacional, em São Paulo, o que a levou para a final do concurso, em Ibiza, na Espanha, onde ficou entre as dez primeiras no mundo. Mas e aí?

Tudo o que ela tinha, a essa altura, era uma suspeita de seu talento. Os resultados excelentes que obteve nesses concursos deram a ela fortes indícios de que atuar como modelo era uma das suas habilidades. Ela teve essas primeiras constatações em outubro de 1994, mas a revelação mais significativa só aconteceu em 1998, quatro anos depois, quando venceu o Prêmio Phytoervas Fashion de Melhor Modelo. Durante esses quatro anos houve muito trabalho e pouco reconhecimento. "Ela foi muito recusada. Demorou a emplacar", contou Mônica Monteiro, ex-agente da modelo.

O que isso nos diz? Gisele não nasceu sendo a melhor *top model* do mundo: ela se tornou a melhor *top model* do mundo. Mônica conta que, no início da carreira, Gisele não tinha a aparência perfeita para o mercado em voga. "Ela rebolava e mexia os ombros", disse ela. "Tentei corrigir essa mania, porque era uma época em que todas as garotas obedeciam à regra de andar sem rebolar. Mas, por mais que tentasse, ela não conseguia", confessou Mônica.

Gisele apareceu numa capa internacional pela primeira vez em março de 1998. A partir de então, sua aparência começou a roubar o espaço dado ao estilo anoréxico, que estava em alta na época. A mudança definitiva veio um ano depois, em 1999, quando ela emplacou, de uma só vez, todas as capas e os editoriais mais importantes do mundo da moda. Com isso, Gisele desbancou de vez o visual antigo e impôs o estilo Bündchen. Porém, já se iam cinco anos de muito trabalho. Perceba que, entre 1994 e 1998, Gisele obteve poucos resultados públicos. Um ano depois, ela conquistou o mundo. É importante perceber que, ao longo desse processo, Gisele não concentrou seus esforços em se adaptar ao mundo da moda. Ela não competiu com ninguém. O que ela fez foi desenvolver o melhor que tinha dentro de si, e o mundo da moda se adaptou a ela.

SÍNTESE

Até agora, falamos sobre conceitos indispensáveis para conquistar sucesso e felicidade na vida. Vimos como pessoas bem-sucedidas descobriram seu talento, investiram nele e desenvolveram uma visão clara sobre o que queriam e, acima de tudo, sobre quem elas são. Por conhecerem a si próprias, elas têm consciência e clareza das suas convicções. Assim como Elizabeth Gilbert, elas encontraram seu propósito e buscam constantemente alinhar foco e propósito. Mas como isso funciona na prática?

CAPÍTULO 4

AS TRÊS REGRAS DO PRIMEIRO QUILÔMETRO

Como uma fórmula simples pode fazer uma grande diferença nos momentos mais críticos da vida?

Num final de tarde do verão de 1973, num luxuoso escritório no centro de Los Angeles, dois produtores de cinema se encontraram com um jovem ator. Ambos os produtores tinham pouco mais de 40 anos. Vestiam elegantes ternos escuros de grifes italianas e estavam no auge. Uma de suas últimas produções, *A noite dos desesperados*, estrelada por Jane Fonda, havia recebido dez indicações para o Oscar. Vinculados à prestigiosa companhia de cinema United Artists, eles eram a esperança de muitos artistas em início de carreira. Esses dois produtores eram Irwin Winkler e Robert Chartoff.

O ator, por sua vez, era um recém-chegado em Los Angeles. Tinha 30 anos. Vestia camiseta branca e calça jeans. Seus olhos eram caídos e sua voz, rouca. Quando falava, apenas um lado de seu boca parecia se mexer. Seu único trabalho no cinema havia sido um papel secundário no filme *Os lordes de Flatbush*, um drama que não obteve sucesso e que conta a história de uma gangue que tornou-se famosa nos arredores do Brooklyn nos anos 1950. Seu nome era Sylvester Stallone.

Stallone estava desempregado quando decidiu visitar o escritório de Winkler e Chartoff. Seu carro havia pifado alguns dias antes e ele dependia de caronas para se locomover pela cidade. Sua esposa estava grávida do primeiro filho. As coisas iam mal. Muito mal. Tão mal que, dias antes, ele havia pregado um anúncio no mural de uma loja de conveniência tentando vender seu cachorro de estimação. A entrevista com os dois produtores era uma tentativa impulsiva de conseguir trabalho. "Demos a ele quinze minutos", contou Chartoff. "Até gostamos do cara, mas não sabíamos o que fazer com ele." Após ouvir pela milésima vez que não havia trabalho para ele, Stallone se voltou para os produtores mais uma vez antes de fechar a porta para arriscar uma última jogada. "Eu também escrevo roteiros", disse ele. "Por acaso se importariam em dar uma olhada num deles?"

Dois dias depois, Winkler e Chartoff receberam uma cópia de *A taberna do Inferno,* um dos últimos roteiros que Stallone havia escrito. O roteiro conta a história de três irmãos que, no submundo da Nova York dos anos 1940, lutavam para sair da miséria e ter vidas melhores. Brutos, insensíveis e cheios de vícios, eles eram a atração de uma taberna frequentada pela escória da sociedade. "O roteiro precisava de alterações, mas tinha um estilo marcante", lembrou Winkler. "Honestamente, quando lemos o texto pensamos que o talento dele era escrever."

Stallone havia descoberto sua paixão pelo cinema na escola. "Foi a primeira vez, em toda a minha vida, que eu fiz algo de que gostei e que não era ilegal", contou ele, comparando a experiência à sua infância complicada e dura. Sua história de dificuldades começou já durante o parto, quando o fórceps usado pelos médicos danificou dos seus nervos faciais. A lesão impôs uma aparência estranha ao seu rosto. Mais tarde, a paralisia também afetou a voz e a maneira de falar. Stallone passou a maior parte da infância no bairro do Queens, em Nova York. Aos 15 anos, já havia sido expulso da escola catorze vezes. Devido ao seu comportamento, foi obrigado a frequentar uma escola para jovens problemáticos no estado da Pensilvânia. Depois, matriculou-se numa faculdade de artes dramáticas, mas os professores o orientaram a escolher outra profissão. Ele desistiu do curso, mas não do seu sonho. Após uma breve temporada hippie pela Europa, retornou a Nova York em 1969, decidido a se tornar ator.

Ao longo de quatro anos, fez testes em praticamente todas as agências de *casting* de Nova York, mas ninguém o aceitou. Enquanto buscava um trabalho no cinema, trabalhou como segurança, garçom e limpador de jaulas do jardim zoológico do Brooklyn. "Posso afirmar, sem exagero, que, entre 1969 e 1973, fui rejeitado por todas as agências de Nova York. Em algumas, não menos de dez vezes", contou. Numa ocasião que perambulava por Nova York, entrou na biblioteca pública da cidade para fugir do frio. Sentou-se a uma mesa e começou a ler um livro de contos de Edgar Allan Poe. Nesse momento, teve uma ideia: E se escrevesse roteiros? No início de 1974, concluiu sua primeira história. Ele mesmo a classificou como ridícula. Mesmo assim, o trabalho deu-lhe um sentido novo. "Pela primeira vez na vida, eu havia concluído algo. Eu tinha escrito 130 páginas." Naquele ano, escreveu mais dez roteiros.

No final de 1974, surgiu uma oportunidade para atuar num filme de produção barata, com orçamento de 100 mil dólares, chamado de *Os lordes de Flatbush*. "Meu cachê era insignificante, mas era mais do que eu recebia limpando jaulas no zoológico", lembrou Stallone. Com a pequena quantia que recebeu, mudou-se para Los Angeles. Em Hollywood, retomou sua peregrinação pelas agências em busca de trabalho. Os resultados, no entanto, continuavam decepcionantes.

Uma luz surgiria em 24 de março de 1975. Num bar de Los Angeles, Stallone assistiu a uma luta de boxe entre Muhammad Ali e Chuck Wepner. "De certa forma, eu me identifiquei com Chuck Wepner. Aquele homem apanhou muito. Cada vez que caía, todos pensavam que a luta terminaria, mas ele se levantava, todo machucado, sangrando, e não desistia", contou Stallone. No caminho para casa, ele pensou muito sobre a luta. A similaridade entre sua história e a trajetória de Wepner parecia querer revelar-lhe algo grandioso, mas ele não sabia o quê. Pensou em escrever sua história pessoal; sabia, porém, que o fracasso de um homem que busca ser ator não atrairia cinco minutos da atenção do público. Precisava de algo mais intenso, envolvente. Então, teve a ideia de escrever um roteiro sobre um lutador de boxe.

Quando chegou em casa, sentou-se a uma mesa velha na garagem. Com uma caneta esferográfica e um caderno simples, começou a escrever a história de Rocky, o lutador. Em três dias, a primeira versão do roteiro estava pronta. Nos dias que se seguiram, Stallone apresentou o novo trabalho a Chartoff e Winkler. Depois de meses de alterações, o texto estava pronto para enfrentar o concorrido mercado de Hollywood. Chartoff levou a ideia para apreciação da United Artists, pedindo um orçamento de 2 milhões de dólares para a produção do filme. A United Artists se interessou pelo roteiro e ofereceu 20 mil dólares pelo direito de usá-lo. Stallone aceitou a proposta, mas impôs uma condição: ele faria o papel de Rocky Balboa. A United Artists recuou, alegando que não investiria tanto dinheiro para produzir um filme com um protagonista desconhecido. O papel de Rocky Balboa deveria ser dado a um ator famoso como Ryan O'Neal, Paul Newman ou Al Pacino.

Enquanto Stallone negociava o roteiro, o cerco em casa se fechava. Sua esposa estava grávida e não havia dinheiro para comprar comida. A saída era vender seu cachorro. E foi então que pegou o cachorro e saiu pela rua oferecendo o animal. "Naquele dia, eu sentei na rua e chorei por um longo tempo", contou ele, lembrando que entregou o animal que mais amava por ridículos 140 dólares. Dias depois, a United Artists aumentou a oferta. Pagaria 200 mil dólares, mas não queria Stallone no elenco. Stallone recusou, insistindo no papel principal. Eles subiram para 210 mil dólares. Stallone recusou. Foram para 235 mil, 245 mil e 255 mil dólares, mas Stallone persistia na sua condição de fazer o papel de Rocky. Chartoff ficou furioso, julgando o comportamento de Stallone absurdo.

A certa altura, Stallone lembrou-se de que estava quebrado e pediu um tempo para pensar. Deu uma volta em torno do prédio.

Falou com sua esposa pelo telefone, que insistiu que ele vendesse o roteiro. O dinheiro que receberiam lhes daria uma segurança financeira provisória. Em Hollywood, ao vender um roteiro por esse valor, um escritor se consolida como roteirista, porém Stallone não queria ser roteirista. Os argumentos de sua esposa aflita quase o fizeram mudar de ideia, mas ele resistiu a tudo em nome do seu sonho. "Cheguei a uma estranha conclusão de que o dinheiro não é nada", revelou ele. "Eu dizia para mim mesmo: não venda esse roteiro; se o fizer, vai se odiar pelo resto da vida!"

No dia seguinte, Stallone voltou à agência. A oferta da United Artists havia subido para 340 mil dólares. Ele olhou para os agentes e, depois de alguns minutos de hesitação, reuniu a coragem necessária para dizer-lhes o que realmente sentia: "Eu prefiro queimar esse roteiro, enterrá-lo, jogá-lo no mar, fazer qualquer coisa a deixar que alguém faça o papel de Rocky. Eu escrevi esse roteiro para mim, e, mesmo que o preço suba para meio milhão, ou para 1 milhão, que seja, não vou vender esse roteiro se eu não puder atuar no papel de Rocky". Ele estava decidido. Finalmente, dias depois, os dois produtores voltaram a procurar Stallone. Traziam uma nova proposta. Stallone ficaria com o papel de Rocky, mas o preço do roteiro havia sido reduzido para os simplórios 20 mil dólares originais. Stallone, porém, teria uma comissão sobre os eventuais lucros do filme.

O primeiro quilômetro

O céu da Flórida estava extremamente azul. Na área de observação, cerca de 5 mil convidados não tiravam os olhos do horizonte. Nas estradas que circundavam o Centro Espacial Kennedy, centenas de profissionais da NASA, acompanhados por seus familiares, faziam o mesmo. A quilômetros de distância, nas praias e estradas próximas ao centro espacial, mais de 1 milhão de espectadores formavam a maior concentração de pessoas à espera de um evento em toda a história. Na extremidade superior do foguete Saturno V, o Apollo 11 repousava em silêncio. Pouco depois do meio-dia, enfim, a nave foi lançada. A bordo estavam os três astronautas que haviam recebido a missão de levar o homem à Lua.

A decolagem foi turbulenta, monstruosamente turbulenta. A missão do Apollo 11 deveria durar oito dias, mas cerca de 80% da energia seria consumida nesses primeiros minutos, durante a turbulenta arrancada. Há dois fatores que justificam esse consumo: o primeiro é que a nave precisa romper a força da gravidade e o segundo é que, na arrancada, ela carrega todo o seu peso bruto, principalmente o do combustível usado para romper a gravidade.

Na vida, da mesma forma, uma decolagem exige uma tremenda energia. Primeiro, precisamos romper a gravidade que nos cerca e sair da zona de conforto. Segundo, carregamos todo o peso de nosso talento bruto, muitas vezes irreconhecível aos olhos do mundo. E mesmo que tenhamos um talento notável e um propósito definido de forma clara, há uma série de outras virtudes necessárias, que só conseguimos assimilar ao longo do caminho.

Observe o exemplo de Sylvester Stallone. Ele esperou dez anos para conseguir um papel; na verdade, foi necessário que ele criasse um papel para si próprio e lutasse de maneira obcecada por ele. Depois, porém, sua carreira foi um sucesso. O caso de Gisele Bündchen não foi diferente. Ela nasceu em Horizontina, um pequeno município no noroeste do Rio Grande do Sul. O município, como qualquer outro nessa região, é pouco mais do que uma vila no meio de um oceano de plantações de soja, milho e trigo. A população é de 19 mil habitantes. Destes, um terço está espalhado pelo interior. Pessoas que, como o pai de Gisele, passaram a vida inteira ali possivelmente conhecem todos os moradores do município. O povo é cortês, educado e gentil. Na rua, alguém que nunca o viu antes o cumprimenta com um sorriso. Não fazê-lo seria considerado uma extrema falta de respeito. A vida ali é tranquila, confortável e segura.

O problema é que Horizontina não pertence ao mundo da moda. Aliás, nem mesmo Porto Alegre, a capital gaúcha. São Paulo pertence um pouco, mas muito pouco. Os verdadeiros endereços do mundo da moda são Paris, Milão, Londres e, especialmente, Nova

York. Horizontina fica longe de tudo isso. Aliás, muito longe. O município está localizado a mais de quinhentos quilômetros de Porto Alegre e a 1.200 quilômetros de São Paulo.

Além disso, uma carreira de modelo começa muito cedo, aos 13 ou 14 anos. Isso significa que se você mora em Horizontina e tem uma filha que quer ser modelo terá de largá-la, ainda no início da adolescência, na estação rodoviária da cidade. Terá de vê-la tomar um ônibus que pegará pessoas em outras dezenas de cidades e chegará a São Paulo 36 horas depois. E se você, como Gisele, é a menina que quer ser modelo, a história é bem mais complicada!

Para começar, com que motivação você deixaria, aos 13 anos, a família, os amigos, o colégio e a calmaria de uma cidade como Horizontina para enfrentar São Paulo e sua população de 22 milhões de habitantes? Para ter uma ideia da diferença demográfica, considere este dado: há 8 mil veículos em Horizontina e 6 milhões de veículos na capital paulista. São Paulo assusta qualquer adulto que a vê pela primeira vez. Imagine então uma menina de 13 anos. "Conheço meninas que chegam, veem o tamanho da cidade e, quando alguém fala para pegarem um ônibus, ligam para a mãe querendo voltar", contou Mônica Monteiro, ex-modelo e agente da IMG, com endereço em São Paulo.

Quando viajou sozinha para São Paulo pela primeira vez, aos 14 anos, Gisele teve a carteira roubada. "Meu pai havia me dado cerca de 150 reais. Era para apanhar um táxi até o apartamento onde eu moraria com outras modelos. Mas pensei: 'Vou de metrô'", conta ela. A intenção de Gisele era economizar dinheiro para comprar roupas, porque ela usava as roupas das irmãs. "Pensei que estava sendo esperta. Quando cheguei à estação, abri minha bolsa e vi que minha carteira havia sumido", lembra. "Eu não tinha ideia de que alguém poderia me roubar."

Este foi apenas o início de uma longa jornada de frustrações. Gisele demorou oito meses para conseguir os primeiros contratos. Antes disso, ouviu muitas recusas, pegou muitos ônibus, suportou muitas saudades, bateu em muitas portas pedindo trabalho e passou horas e mais horas lendo livros à espera do retorno de alguma agência. Um dia, depois de voltar do Japão, onde havia feito alguns editoriais de moda, ela sentiu o impacto da sua situação. "Eu tinha feito uns duzentos *castings* e sido recusada em quase todos. Por pouco não voltei para Horizontina", lembra ela.

E não são poucas as modelos que retornam, desoladas, para suas casas. Todos os anos, milhares de aspirantes são levadas por olheiros para São Paulo. Reveladas pela sua beleza, elas são cerca de 30 mil a 50 mil novatas a cada concurso, mas quase todas desistem antes de ver seu rostinho estampado numa página de revista. Para ter dados mais específicos, de cada dez selecionadas, apenas duas continuam tentando após dois anos. A maioria desiste muito antes de concluir o primeiro quilômetro de sua jornada. Considerando que não há dúvida de que muitas dessas aspirantes têm talento e de que a maioria é linda e obcecada pelo sonho de ser modelo, a conclusão óbvia que se tira é que talento e propósito não são tudo. O que torna, então, a carreira de modelo tão seletiva? O que leva tantas meninas a desistirem tão rapidamente do seu sonho?

A resposta, em parte, está num estudo realizado pelo psicólogo paulista Marco Antonio De Tommaso, que entrevistou e acompanhou centenas de principiantes da carreira de modelo durante um ano. O problema apontado por De Tommaso, ao contrário do que muitas vezes se imagina, não foi nenhuma deficiência estética, intelectual ou mesmo de caráter. O que tira as novas modelos do jogo são sentimentos como ansiedade, dificuldade de adaptação, medo de não dar certo e despreparo diante de recusas.

Mas essa explicação, por si só, não faz muito sentido. Na verdade, ela não responde à pergunta feita, pois permanece na superfície do problema. Confunde os efeitos com as causas. Para compreender o motivo real, é preciso cavar mais fundo e encontrar as razões pelas quais essas modelos passam pelos problemas apontados por De Tommaso. Antes, porém, observe que, mesmo que você nunca tenha pensado em ser modelo, conhece cada um desses fatores por experiência própria. Esses sentimentos não são estranhos a nenhum de nós. E em que momentos eles se manifestam de forma mais intensa? Quando estamos sob pressão, geralmente diante de um fator desconhecido.

AS TRÊS REGRAS DO PRIMEIRO QUILÔMETRO

Tente lembrar, por exemplo, como você se sentiu quando prestou vestibular ou durante os minutos que antecederam sua última entrevista de emprego ou uma fala em público. Nosso futuro se decide em momentos de estresse intenso, diante de situações que exigem de nós uma prova maior, e não na monotonia do dia a dia de nossas vidas. Em outras palavras, considerando uma jornada de mil quilômetros, nosso sucesso ou nossa frustração se decide, quase sempre, no primeiro quilômetro. É aí que encontramos as maiores dificuldades. Neste capítulo, vamos analisar cada uma dessas dificuldades e entender como podemos superá-las.

A luta de um gênio

Você se lembra da primeira vez que ouviu falar de Gisele Bündchen ou de Sylvester Stallone? Ouvimos falar de pessoas bem-sucedidas a toda hora, mas elas aparecem como se seu sucesso tivesse caído do céu. Geralmente, vemos essas pessoas como indivíduos excepcionais, que flutuam por caminhos onde nós facilmente atolaríamos. Pensamos que não encontraram dificuldades, mas este é um dos principais motivos que nos impedem de ver as coisas como elas são. Assim como temos uma tendência a achar que a grama do vizinho é mais verde e macia, também acreditamos que o caminho das pessoas que alcançam o sucesso é pavimentado e sem curvas e que somente nós encontramos buracos e péssima sinalização. Mas o que sabemos, de fato, sobre a vida dessas pessoas?

Se quisermos entender como elas chegaram ao sucesso, temos de analisar o modo como agiram, principalmente ao longo período em que construíram a base para o sucesso: o primeiro quilômetro. Analisemos, por exemplo, a história de um dos maiores gênios dos tempos modernos, Albert Einstein.

Em setembro de 1896, Einstein tinha 17 anos. Na época, havia deixado a Alemanha e mudado para a Suíça. Quando estava prestes a concluir o equivalente ao nosso ensino médio, escreveu que, se a sorte o ajudasse, passaria nos exames e entraria para a Escola Politécnica de Zurique:

> Eu permanecerei lá durante quatro anos para estudar matemática e física. Suponho que me tornarei professor nesses campos da ciência, optando pela sua parte teórica. Aqui estão as razões que me levaram a esse plano. Elas são, acima de tudo, meu talento pessoal para a abstração e o pensamento matemático. Meu desejo também me leva para a mesma decisão. Isso é muito natural, qualquer um deseja fazer aquilo para o que tem talento.

Não é interessante que Einstein, o genial Albert Einstein, como qualquer um de nós, esperasse contar com a sorte para passar nos exames? E mais: que, por outro lado, ele já soubesse com absoluta convicção, aos 17 anos, que seria professor no campo das ciências exatas? Mais ainda: que acreditava que seu talento estava nas ciências teóricas? Mesmo com essa convicção, sua juventude não foi nada fácil. Em 1899, quando já havia ingressado na Escola Politécnica de Zurique, seus problemas pareciam aumentar a cada dia. Ele sofria amargamente com sua família, que havia falido. Além disso, a saudade que sentia da namorada e as dificuldades de convívio social, causadas pela sua personalidade difícil, tornavam sua vida quase insuportável.

Certo dia, um de seus professores, Heinrich Weber, o advertiu: "Você é um rapaz muito habilidoso, Albert. Um rapaz extremamente habilidoso. Mas tem um grande defeito: nunca permite que alguém lhe corrija em nada". Outro professor, Jean Pernet, que lecionava a disciplina Experimentos em Física para Iniciantes, deu a Einstein a menor nota possível como média final em seu curso. O desempenho de Einstein foi tão insatisfatório que Pernet quis saber por que ele buscava uma especialização em física e sugeriu-lhe outros campos, como a medicina ou o direito. "Eu tenho ainda menos talento nesses campos. Por que, então, eu pelo menos não tentaria minha sorte com a física?", replicou Einstein.

Numa das cartas escritas à sua irmã naquele ano, ele desabafou:

AS TRÊS REGRAS DO PRIMEIRO QUILÔMETRO

> O que mais me deprime é a desgraça de meus pobres pais, que não tiveram um momento de alegria sequer durante tantos anos. O que me machuca profundamente é que, como um homem adulto, tenho de olhar para a situação deles sem poder fazer nada. Não sou nada além de um peso para minha família... seria melhor se eu nem tivesse nascido. Apenas o pensamento de que eu sempre faço o que está em meu modesto poder, e de que eu não me permito um único prazer ou distração, salvo os que meus estudos me oferecem, me sustenta e por vezes me protege do desespero.

Observe, porém, que Einstein, apesar da dor de ver seus familiares empobrecidos, não abandonou seu propósito e seguiu os estudos na área de ciências exatas, na qual acreditava estar seu talento. Ele via na capacidade de desenvolver suas habilidades a única redenção de sua vida. Depois que concluiu seus estudos na Escola Politécnica de Zurique, passou meses aguardando uma vaga para lecionar. Durante a espera, Mileva, sua namorada, engravidou. Desempregado, sem dinheiro e sem ajuda, ele não tinha condições de sustentá-la e teve de deixar Mileva, grávida, na casa dos pais dela. Lembre-se que, em 1900, uma mulher grávida e solteira era cruelmente discriminada. A sorte também estava contra ele. Ninguém tem dúvidas que seu talento estava no campo das ciências teóricas, mas isso, muito antes de ser uma vantagem, foi um grande problema. No final do século XIX, as ciências teóricas estavam apenas nascendo. Era um campo muito vago e não havia vagas para muitos profissionais. Ter formação em ciências exatas em 1900 era como estar formado em filosofia nos tempos atuais. Você está à deriva no mercado de trabalho. Desesperado, ele até pensou em desistir do seu sonho, procurar qualquer trabalho e ter uma vida simples com sua esposa e filha. Esta seria uma atitude normal. Ninguém o condenaria por isso. E ele até tentou. Por um tempo, pensou em atuar no setor imobiliário. Por fim, mesmo a um preço incalculável, não se rendeu às circunstâncias e manteve o foco em seu sonho maior de lecionar ciências exatas. Ele e Mileva permaneceram separados.

A filha nasceu. Mileva ficou com ela durante alguns meses. Depois, deixou-a sob os cuidados da avó e foi morar com Einstein. Einstein e Mileva se casaram. Quando, enfim, tiveram condições de sustentar a filha, tentaram resgatá-la, mas já era tarde. No meio de todas essas turbulências, ela havia desaparecido. Einstein nunca a viu. Pior: nunca teve certeza sobre o que aconteceu com ela.

Em síntese, o que a história de Einstein nos ensina? Ele passou pelos mesmos obstáculos que a maioria de nós, tendo resultados acadêmicos que não ultrapassaram a barreira da mediocridade. É claro que ele tinha uma mente privilegiada para a abstração, mas talvez não tão privilegiada quanto pensamos, não tão mais privilegiada que a de outras tantas pessoas que não tiveram a mesma persistência em relação ao seu propósito nem as mesmas determinação e disciplina na realização de seu objetivo. Como qualquer mortal, Einstein sofreu com a ansiedade, a saudade, as dificuldades de adaptação, a impaciência diante da rejeição e, em especial, as dificuldades em lidar com as incertezas.

As três regras

Então, se esses problemas são comuns a todos nós, qual é o mistério que distingue aqueles que, como Einstein, seguem em frente apesar das dificuldades e aqueles que se deixam vencer por elas? A resposta está no que o psicólogo americano Robert Sternberg chama de inteligência prática, ou seja, o conhecimento que ajuda a interpretar situações de modo correto e obter o que se deseja. Em outras palavras, inteligência prática é um conjunto de habilidades específicas como aquelas que levam alguém a se desvencilhar de comentários como "seu nariz é um pouco torto" ou "por que você não busca outra área, como direito ou medicina?".

Posto de forma simples, todos lidamos com os mesmos problemas. A diferença está na maneira como reagimos a esses problemas, uma questão muito mais sutil do que se pensa. A diferença está em pequenas escolhas feitas ao longo de um curto período de tempo. Uma parcela muito pequena de escolhas é responsável pela grande maioria dos resultados. No início, essas escolhas são quase imperceptíveis e completamente aceitáveis, mas, a longo prazo, criam um abismo entre as pessoas.

Economistas falam continuamente sobre o Princípio 80/20, também conhecido como Princípio de Pareto, descoberto pelo economista italiano Vilfredo Pareto em 1897. A ideia desse princípio é que, de maneira genérica, 80% dos resultados que obtemos estão relacionados a 20% dos nossos esforços. O princípio afirma que existe um forte desequilíbrio entre causas e efeitos, entre esforços e resultados, entre ações e objetivos alcançados. A vantagem de Einstein foi a mesma de Stallone, da escritora Elizabeth Gilbert ou mesmo de Gisele Bündchen: todos estabeleceram um objetivo específico levando em conta talento, paixão e propósito e tiveram a disciplina necessária para percorrer o primeiro quilômetro de sua jornada, mantendo o foco na sua decisão inicial independentemente das circunstâncias.

É interessante, nesse ponto, retomar o exemplo do lançamento do Apollo 11. Tanto Einstein como os outros exemplos citados tiveram enormes dificuldades ao longo do primeiro quilômetro. O consumo de energia foi enorme. Foi preciso romper a força da gravidade e locomover-se com toda a bagagem de um talento bruto e desacreditado. Mas, como o Apollo 11, essas pessoas foram aos poucos livrando-se dos elementos que não eram mais necessários. Uma vez rompida a força da gravidade, eles estavam prontos, lapidados. Este é o desafio do primeiro quilômetro. Para vencê-lo, é imprescindível que você siga as três regras do primeiro quilômetro.

Regra 1: Crie imunidade à rejeição

Entre 1969 e 1973, Sylvester Stallone foi rejeitado por todas as agências de *casting* de Nova York. Em algumas, foi rejeitado cerca de dez vezes. Aonde ia, ouvia sempre a mesma coisa: "Você têm uma aparência de tolo. Ninguém vai querer sentar na frente da TV e ver alguém com cara de bobo falando pelo canto da boca com uma voz rouca e quase incompreensível". À primeira vista, isso parece aquelas histórias que as pessoas contam depois que conquistam fama e sucesso, uma forma de valorizar ainda mais o próprio passe, mas não é. Stallone estava sendo sincero. Sua história é um exemplo de persistência incrível, que quase beira os limites da obsessão. "Nós, atores, temos em comum a ilusão de que vamos entrar no estúdio de um produtor e ele imediatamente dirá: 'Olha só para ele! É justamente o cara que eu estava procurando!' Ou que dirá algo como: 'Ele não é o cara perfeito?'. Mas, em geral, o que eu ouvia era: 'Tome uma ducha gelada e procure alguma coisa diferente!'", contou Stallone. Depois, ele viu nas recusas um desafio. "Esse foi o momento em que realmente me dediquei ao cinema: depois de ter recebido um número ridículo de rejeições", lembrou ele. "E eu quero dizer rejeições clássicas, do tipo nem pensar numa segunda tentativa."

Nem todas as agências fecharam a porta dessa forma, é claro, mas as poucas, cerca de cinco ou seis, que se propuseram a assinar um contrato (e, que se diga, para algum papel muito secundário) deram em problemas. "Aquilo simplesmente parecia não funcionar para mim! Parecia que todos haviam sido treinados pelo mesmo técnico para dizer as mesmas coisas: 'Sylvester, seja lá o que você tenha, ninguém parece estar interessado', 'Não existe mercado para seu produto', 'Você é um caso único', 'Você requer um tratamento especial' ou 'Não existe nenhuma procura pelo seu tipo'."

O que torna a história de Stallone especial é o que ele fez com essas recusas. Todas as portas batida na sua cara desenvolveram nele uma imunidade à rejeição. "Isso criou em mim certo senso de humor. Eu sabia que se não risse de tudo que estava acontecendo com certeza iria explodir." À noite, ele trabalhava como segurança, limpava jaulas no zoológico ou fazia qualquer outra coisa para manter os dias livres e, assim, poder circular pelas agências em busca de um papel. "Eu mantinha viva a crença de que talvez eu tivesse alguma

AS TRÊS REGRAS DO PRIMEIRO QUILÔMETRO

coisa incomum, algo especial que eu pudesse vender. O problema era encontrar um comprador para esse produto", lembrou Stallone.

A regra número 1, *Crie imunidade à rejeição*, é exatamente sobre isso. Ao longo da jornada, o primeiro quilômetro é a prova de fogo. É a parte do caminho em que temos de enfrentar os muros que separam nosso talento e nosso sonho. Nesse momento, todas as vantagens parecem estar contra nós. Criar imunidade à rejeição é estar preparado para esses momentos, é identificar nossa habilidade, estabelecer um propósito específico, baseado em talento, paixão e estímulo, manter-se focado nele e não deixar que a rejeição nos impeça de avançar. Por mais desfavoráveis que as circunstâncias sejam, todas as escolhas precisam ter como foco um propósito específico. Se você analisar os exemplos das pessoas bem-sucedidas que citei até aqui verá que todas têm uma coisa muito simples em comum: elas rejeitaram qualquer ideia de desistência. Toda a sua atenção estava focada nos intrincados pormenores do seu talento. Suas escolhas tiveram um único norte.

Visto em perspectiva, esse conjunto de pequenas escolhas iniciais, feitas de maneira organizada, fez uma diferença monstruosa. Você se lembra do Princípio de Pareto, que diz que 20% das causas são responsáveis por 80% dos resultados? O problema, na verdade, é que temos dificuldade com esse tipo de análise porque o resultado final, o efeito, parece estar muito fora de proporção em relação à causa. Se cada causa cria um efeito, esse efeito, por sua vez, torna-se a causa de outro efeito. Cada vez que fazemos uma escolha, ela é realizada sobre a escolha anterior. Se você começar com a escolha errada, voltar ao caminho certo se tornará cada vez mais difícil. Fazer escolhas não é um dom exótico. É uma parte central do ser humano. Nós fazemos escolhas a cada segundo. Precisamos fazê-las para sobreviver. É por meio dessas escolhas que construímos nosso caminho. Desistir, como persistir, é a mesma coisa: apenas uma escolha. O que muda é o caminho pelo qual as escolhas nos conduzem.

Nossas escolhas são basicamente feitas em uma de duas direções: expansão ou retração. O problema é que temos uma tendência natural a fazer escolhas que facilitam o presente, que evitam os penosos e inseguros enfrentamentos do primeiro quilômetro. Mas essa é uma opção errada. Se não nos habituarmos a enfrentar as pressões do primeiro quilômetro, perderemos a grande oportunidade de expandir as capacidades que nos conduzirão pelo resto da jornada. Quando enfrentamos dificuldades, desenvolvemos habilidades, e habilidades promovem a expansão.

Considere, por exemplo, cada vez que você tem uma oportunidade de falar em público. Você está num grupo e sente vontade de dizer alguma coisa, mas vacila e não fala. O que acontece? Você se retrai um pouco mais. Sua personalidade encolhe um pouco mais. Mas, quando você fala, rompe o medo, enfrenta a reação das pessoas ao que você tem a dizer e se expande. Você se torna um pouquinho maior, um pouquinho mais confiante. A imagem que você tem de si mesmo cresce um pouquinho mais. O que você disse não tem grande importância. O que importa é que venceu a batalha interior, rompeu o invólucro do medo, falou e percebeu que nada de ruim aconteceu. Depois que você dá o primeiro passo, as coisas ficam cada vez mais fáceis. Na próxima vez que falar, será um pouco mais fácil. E assim sucessivamente. A expansão promove o crescimento e a autoestima. "A autoestima não é algo que se possa elevar ou dar a alguém", disse Randy Pausch, ex-professor de ciências da computação na Universidade Carnegie Mellon. "A autoestima precisa ser criada, desenvolvida, e existe apenas uma forma de desenvolvê-la: ao se deparar com algo que você não se consegue fazer, trabalhe duro até descobrir que consegue e repita o processo consecutivamente", afirmou Pausch. Se trabalharmos duro hoje, amanhã poderemos realizar coisas que agora não conseguimos.

Observe as escolhas das pessoas que citei até aqui e verá que aquilo que as distingue da grande maioria é que suas escolhas foram sempre no sentido da expansão. Não que elas não sintam medo, ansiedade, insegurança; nisso, todos somos iguais. A diferença está no que fazemos com esses sentimentos. Veja o caso de Gisele. No seu primeiro dia em São Paulo, ela ficou sem dinheiro, sozinha, no meio da cidade. Mesmo assim, ela resistiu. O que isso ensinou a ela? Uma coisa muito simples: que o mundo não acaba diante dessas adversidades. Essas situações complicadas foram criando uma imunidade em relação a certos tipos de crises, o que a ajudou a enfrentar oito meses de rejeições. Quando alguém lhe dizia que ela tinha um nariz muito grande e que isso prejudicaria suas fotos, ela não se intimidava. Estava imune a esse tipo de argumento. Aceitou-o como uma informação, mas não deixou que a afetasse emocionalmente nem que roubasse seu sonho.

E o que ela fez com essa informação? Voltou para o apartamento e passou a estudar os comandos dados pelos fotógrafos, o tipo de iluminação ideal e seus melhores ângulos ao fotografar. Em pouco tempo, o nariz grande, seu ponto fraco, com a iluminação ideal e sob o ângulo apropriado, tornou-se um de seus pontos fortes. Além disso, esse tipo de conhecimento trouxe inúmeras vantagens adicionais e suas virtudes fotogênicas tornaram-se uma de suas principais habilidades. Hoje, ninguém mais fala do "nariz grande demais"; pelo contrário, ele se tornou charmoso aos olhos daqueles que a criticaram. "Sou quem sou hoje por causa de tudo que já passei. Momentos difíceis nos fazem crescer", afirmou Gisele. "Encarei o não como um desafio e não me dei por vencida só porque algumas pessoas disseram que eu não servia para fazer capa de revista porque tenho um nariz muito grande", disse ela. "Tive muita disciplina e persistência e estava determinada a provar que eu realmente poderia fazer aquilo." Se você busca o sucesso, siga essa regra e crie imunidade à rejeição.

Regra 2: Entenda o paradoxo da apatia

Todos os anos, na primeira quinta-feira de fevereiro, em Washington D.C., Estados Unidos, líderes políticos e religiosos se reúnem para um evento chamado National Prayer Breakfast. Em uma cidade acostumada a debater e tomar decisões sobre as coisas mais importantes do mundo, esse encontro apartidário reúne pessoas de todos os credos. Seu objetivo é criar um denominador comum entre os diferentes grupos religiosos e as diversas divisões políticas e sociais. Por isso, os palestrantes recebem uma orientação restrita para não criar controvérsias em seus discursos. Dois palestrantes ocupam o ponto alto do evento: o presidente americano e uma autoridade convidada, cujo nome é mantido em segredo até o momento em que é chamada ao palco.

Em 1994, cerca de 3.500 convidados vindos de mais de 150 países ocupavam o salão nobre do hotel Hilton, onde acontece o evento. O presidente Bill Clinton, a primeira-dama Hillary, o vice-presidente Al Gore e sua esposa estavam sentados à mesa oficial. Quando o mestre de cerimônias chamou o convidado especial, uma pequena freira de olhar sereno, vestindo um hábito branco com um manto azul nos ombros e uma cruz enorme no peito, cruzou o palco. Ela cumprimentou o presidente Clinton e sua esposa e foi até o pedestal. O discurso que fez pode ser considerado qualquer coisa menos submisso, passivo ou dócil, conforme a recomendação.

No começo, Madre Teresa falou sobre o quanto a vida é preciosa. Depois, falou sobre Deus, paz, amor e família. Por um tempo, todos estavam entusiasmados. Ela era o tipo de convidada que qualquer um desejaria ter ao seu lado. Mas, de repente, as coisas mudaram. Seu discurso adquiriu outro tom, outro rumo. Suas palavras se tornaram rudes e cada vez mais ásperas, tocando nas feridas mais profundas da sociedade americana. Primeiro, ela falou sobre a necessidade de vestir os pobres, alimentar os famintos e abrigar os mendigos, dizendo que devemos amar uns aos outros e cuidar uns dos outros. Depois, ela falou de pais infelizes largados em asilos, do quanto sofrem por terem sido esquecidos, abandonados, rejeitados pelos próprios filhos, e contou que havia visitado um abrigo de idosos. "Lá, eles tinham tudo: cuidados médicos, roupas limpas, aquecimento, televisores e excelente comida em abundância", disse ela. Depois, prosseguiu: "Mas, mesmo assim, eles mantinham um triste olhar. Seus rostos estavam o tempo todo voltados para a porta. Perguntei a uma das enfermeiras por que esses idosos estavam olhando para a porta. A enfermeira respondeu que eles viviam numa constante espera pelos familiares".

AS TRÊS REGRAS DO PRIMEIRO QUILÔMETRO

Madre Teresa ficou em silêncio por alguns segundos. Então, perguntou: "Estamos dispostos a nos doar e a enfrentar o sofrimento para estar com nossa família ou colocamos nossos interesses pessoais em primeiro lugar? Realmente amamos a Deus? Como? Como queremos amar a Deus, que não vemos, se não nos importamos com nossos irmãos, que estão ao nosso lado?".

Na plateia, a elite americana se remexeu. Por alguns segundos, houve um silêncio. Depois, aplausos encheram a sala. Mas nem todos aplaudiram. Clinton, Hillary, Al Gore e sua esposa não moveram um músculo sequer. Madre Teresa não se intimidou. Ao terminar, não havia ninguém que ela, de certa forma, não tivesse puxado as orelhas.

Madre Teresa foi uma grande autoridade. Se existiu alguém, em seu tempo, que viveu os princípios de Cristo, foi ela. Muitos a consideram a missionária do século XX. Sua congregação se espalhou por mais de 150 países. Em 1979, ela recebeu o Prêmio Nobel da Paz. Agora, pense por um instante no que faz com que pessoas como Madre Teresa, mesmo estando diante das maiores autoridades políticas e religiosas do mundo, não se intimidem. Apesar da orientação clara para não criar controvérsia, ela não hesitou em falar o que pensava, mesmo que isso pudesse agredir seus anfitriões. De onde vem essa autoridade moral? Considere as três opções a seguir:

1. De sua relação de fé e amor com Deus;
2. De seu trabalho com os pobres;
3. De sua inteligência, formação e experiência de vida.

Sua resposta certamente será a primeira, ou seja, que a autoridade moral de Madre Teresa era um resultado da sua forte relação com Deus. Porém, essa não é a resposta certa. A relação entre Madre Teresa e Deus foi muito mais complicada do que se pode imaginar. Ao longo de meio século, sua vida foi marcada por uma intensa crise espiritual. Brian Kolodiejchuk, responsável pela coleta de documentos para o processo de santificação da madre, descobriu inúmeras cartas em que ela confessa sentir-se em completo isolamento de Deus. No seu íntimo, afirma ter vivido momentos de terrível escuridão espiritual. Durante todo esse tempo, Madre Teresa inclusive questionou a própria existência de Deus. Enquanto mantinha uma atitude externa de fé inquestionável, duelava internamente com as dúvidas mais cruéis. Porém, ela nunca se deixou abalar por suas dúvidas. Durante todo tempo, lidou com seus questionamentos em silêncio.

A relação de Madre Teresa com seus pontos fracos foi de indiferença. Aos doze anos, ela ouviu um missionário dizer que cada um deve seguir seu próprio caminho na vida. Essas palavras a impressionaram, e ela se determinou a dar um sentido à sua vida. Esse sentido, seu Conceito Kelleher, foi entregar-se a serviço dos pobres. E esse continuou sendo seu propósito. Nossas fraquezas, dúvidas e incertezas, principalmente ao longo do primeiro quilômetro, são inevitáveis. Contudo, nosso propósito deve estar fundamentado sobre nossas habilidades. Madre Teresa não se intimidou porque tirou proveito de sua natureza confiante, esquadrinhando seu potencial, mantendo-se distante de coisas nocivas como sua crise espiritual.

O paradoxo da apatia nos ensina a tirar proveito das nossas habilidades e a administrar nossas deficiências apenas o bastante para que não atrapalhem o desenvolvimento e a lapidação do nosso potencial. Esta é uma questão óbvia que ignoramos. A maioria de nós se sente incapaz porque pensa constantemente sobre suas deficiências e falhas.

Ao longo dos últimos anos, certo número de psicólogos e educadores focou sua atenção sobre a influência desse tipo de comportamento sobre as pessoas. Jane Elliott, uma professora de uma escola primária de Riceville, no estado de Iowa, Estados Unidos, conduziu um estudo perturbador nesse sentido. Riceville é uma cidade muito pequena. Sua população não passa de mil habitantes. Cem por cento deles são brancos, e metade é descendente de alemães. Se você tivesse nascido em Riceville e nunca saído de lá, suas chances de ter visto uma pessoa de pele escura seriam muito remotas. Anos atrás, Jane Elliott quis ensinar aos seus alunos uma lição sobre discriminação racial. No início da aula, ela disse aos alunos que as pessoas com olhos claros eram superiores às outras. "Pessoas com olhos claros são mais inteligentes, mais educadas, mais legais e melhores do que as pessoas com olhos castanhos", disse ela. Os alunos com olhos castanhos, cerca de metade da classe, reagiram, mas a professora, num tom autoritário, começou a dar exemplos explícitos sobre a superioridade das pessoas com olhos claros.

Aos poucos, suas palavras foram tendo efeito. Todos os alunos passaram a se convencer de que ela tinha razão. A professora, então, pediu aos alunos com olhos castanhos que sentassem mais ao fundo da sala, deixando as primeiras cadeiras para os alunos de olhos claros. Também os fez usar um lenço preto no pescoço, para que pudessem ser identificados de longe. Proibiu-os de tomar água no bebedouro, dando-lhes copos de plástico, e impediu-os de usar o parquinho, que passou a ser propriedade exclusiva de quem tinha olhos claros. Durante a aula, ela elogiou os alunos com olhos claros e não fez qualquer comentário positivo àqueles que tinham olhos castanhos. No intervalo, deixou os alunos de olhos claros saírem cinco minutos mais cedo. No dia seguinte, porém, ela inverteu o processo. Disse que se enganara e que, na verdade, as pessoas com olhos castanhos eram superiores. E repetiu tudo o que havia feito no dia anterior, dando supremacia aos alunos de olhos castanhos.

Nesse experimento, a professora ficou chocada com a rapidez com que os alunos se transformaram. As crianças designadas como inferiores logo assumiram um comportamento defensivo e inferior. Até mesmo nos testes e nos exercícios, o resultado foi extremamente proporcional. "Em menos de quinze minutos, vi, diante dos meus olhos, crianças maravilhosas, queridas e amistosas se tornarem agressivas e preconceituosas. Crianças que eram dóceis e tolerantes se tornaram amargas e maldosas. Amizades se dissolviam num piscar de olhos", disse a professora. Um dos alunos com olhos castanhos perguntou à professora, que tinha olhos azuis, como ela podia dar aula, uma vez que era inferior às pessoas com olhos castanhos.

Todos os alunos, no dia em que estiveram no grupo inferior, se descreveram como imbecis, tristes e ruins. "Quando éramos considerados inferiores, eu sentia que tudo de ruim acontecia conosco", disse uma das crianças. Quando eram consideradas superiores, elas se sentiam felizes e sorridentes, e seu desempenho era muito superior. Num exercício de leitura, os alunos considerados inferiores demoraram cinco minutos e meio para concluir a leitura. Quando eram considerados superiores, conseguiam fazê-lo em dois minutos e meio. Quando a professora perguntou por que eles não puderam ler tão bem no dia anterior, uma aluna respondeu: "Nós tínhamos os lenços no pescoço." Outro aluno disse: "Eu não conseguia esquecer o lenço".

O que a experiência de Riceville nos diz? No capítulo 2, apresentei um estudo realizado na Universidade de Princeton. Nele, os pesquisadores constataram a estranha influência que as circunstâncias têm sobre nossas escolhas. A experiência na escola em Riceville mostra como nossa condição psicológica manipula nosso desempenho e nosso comportamento. Essa influência opera no nível consciente, quando usamos as coisas em que escolhemos acreditar, nossos valores estabelecidos, para direcionar nosso comportamento de forma deliberada, e no nível inconsciente, ao reagirmos emocionalmente ao que os outros pensam ou falam. É imediata e automática a associação que ocorre entre as palavras dos outros e nossas emoções. Não escolhemos nossa reação diante do que os outros dizem sobre nós. Isso acontece de forma automática, de forma inconsciente. O cérebro rapidamente junta todos os dados disponíveis, as experiências anteriores, a opinião de nossos amigos, os livros que lemos, o que vemos na TV, e cria um padrão que forma um veredicto instantâneo.

Não estamos falando aqui sobre a maneira como você reage a uma situação, como se defende de outra pessoa ou sobre a impressão que passa. Isso, na verdade, não importa. O que importa é o sentimento, a emoção, a reação interna que isso provoca em você. E essa reação, muitas vezes, é irrefletida, inconsciente. Por isso, ser apático aos nossos pontos fracos é tão importante. Somos profundamente sensíveis, até os mínimos detalhes, à opinião dos outros. Essa sensibilidade cria emoções que alteram nossas crenças e, em consequência, nossa maneira de agir, desviando-nos dos desejos mais intrínsecos ao nosso propósito.

AS TRÊS REGRAS DO PRIMEIRO QUILÔMETRO

No início deste capítulo, vimos que as nossas escolhas expandem ou retraem nossas habilidades. Em outras palavras, isso quer dizer que ao se deixar afetar pelas circunstâncias ou pessoas que o cercam você se retrai internamente, usa mais cautela nas suas ações, crê um pouco menos, mantém menos contato visual, sorri de maneira um pouco intimidada, gagueja. Você se torna menos confiante, menos espontâneo. Muitas vezes, essa reação é tão sutil que nem a percebemos, mas ela faz toda a diferença nos resultados.

Deixe-me dar um exemplo: Gisele, aos 14 anos, sai de seu apartamento em São Paulo em busca de trabalho. Com seu *book* debaixo do braço, pega um ônibus até uma agência. Lá, cercada por profissionais do mundo da moda, ela é observada e avaliada. Fazem comentários sobre cada detalhe de seu corpo, de sua aparência. Alguém comenta, por exemplo, que ela tem um nariz muito grande e que nunca fará uma capa de revista. Gisele está lá, presente, ouvindo tudo. Pedem que ela desfile. Gisele desfila. Especialistas a avaliam outra vez: "Ela tem um jeito estranho, você não acha?", comenta alguém. Depois, cochicham entre eles por alguns segundos e dizem para Gisele: "Nós temos o número da sua agente. Se aparecer alguma coisa, ligaremos". Gisele agradece e sai. Na rua, toma o ônibus e volta para o apartamento. Um detalhe: eu não inventei essa história. Ela aconteceu e, o que é pior, não foi uma única vez. Gisele enfrentou cenas parecidas ao longo de oito meses. Como sobreviver a tantas recusas sem estar imune à rejeição e sem ser completamente apático ao que lhe cerca?

"As modelos são como uma calça jeans exposta na arara de uma loja, que é observada, avaliada, julgada e, talvez, escolhida", afirmou a consultora de moda Costanza Pascolato. Mônica Monteiro, que já citei antes, concorda: "Quando elas fazem um teste, estão sendo avaliadas para um trabalho. Quando não são aprovadas, começam a achar que têm algum problema, que são feias ou que precisam emagrecer. É muito complicado". Esta não é apenas a realidade das modelos. Esta é a realidade de todos nós, seja onde e como for. Todos nós temos de passar pelo primeiro quilômetro. Nele, estamos sujeitos à opinião dos outros e ao que pensamos sobre nós mesmos.

Entender o paradoxo da apatia não significa ser indiferente ao que os outros pensam sobre nós, mas não deixar que isso seja imperativo, que tome conta de nossas emoções. Significa não admitir que isso mude a ideia que temos sobre nós e não permitir que desvie nossa atenção do propósito que estabelecemos. Essa atitude é fundamental em qualquer carreira, negócio ou relação. Nós somos criaturas sociais e só existimos no convívio com os outros. Nesse convívio, somos objeto de julgamentos constantes, mas os outros nos julgarão de acordo com a maneira como construímos nossa identidade.

Outro fator é não deixar que nossas fraquezas e inseguranças obstruam nosso talento. Num extraordinário *insight*, a escritora brasileira Lya Luft escreveu que "boa parte do tempo andamos meio às cegas, avançando por erro e tentativa, tateando, entre os desafios de cada dia". Lya escreveu que é "sobre essa terra fria ou areia traiçoeira que teremos de erguer a nossa casa pessoal feita em parte desses materiais brutos. Nem tudo pode ser programado. Os cálculos têm resultados imprevistos. Misturamos em nós possibilidade de sonhar e necessidade de rastejar, medo e fervor". Cada vez que temos consciência de que infringimos nosso próprio código de leis, ou mesmo o dos outros, nossa tendência impulsiva é julgar, autodepreciar, condenar e recriminar a nós mesmos, anulando nossa autoridade. Isso ocorre porque, internamente, exigimos a perfeição. Você pode imaginar o que teria acontecido se Madre Teresa tivesse se recriminado pelas suas crises de fé?

Entender o paradoxo da apatia é compreender que falhas, defeitos e imperfeições são normais. Todos nós carregamos uma bagagem psicológica, mas é preciso torná-la o mais leve possível. Quando pensamos em limites, criamos limites. Essas restrições que impomos a nós mesmos, ainda que sejam psicológicas, limitam-nos tanto quanto se fossem verdadeiras. Isso é um paradoxo porque ao mesmo tempo em que analisamos o que os outros falam não podemos ser afetados emocionalmente.

Regra 3: Evite o erro da racionalização

Nossos erros, falhas e, muitas vezes, até certas humilhações são inevitáveis no processo de aprendizagem e crescimento. Contudo, eles devem ser assimilados com naturalidade, ou seja, devem ser meios para determinado fim, e não um fim em si mesmos. Uma vez que serviram ao seu propósito, devem ser deixados para trás. Se permanecermos atolados nesses erros, eles se tornam uma desculpa e se transformam na meta final. Isso nos leva à terceira regra: evitar o erro da racionalização.

Na psicologia, a racionalização é compreendida como um processo que usamos para encontrar motivos lógicos e racionais aceitáveis para justificar pensamentos e ações inaceitáveis. Num sentido mais simples, é o processo pelo qual uma pessoa apresenta uma explicação logicamente consistente ou eticamente aceitável para uma atitude, ação, ideia ou sentimento que causa angústia. Usa-se a racionalização para disfarçar verdadeiros motivos, na intenção de tornar o inaceitável mais aceitável. Por exemplo, você traça um propósito, mas, quando vê os percalços que terá de enfrentar para realizá-lo, inventa uma desculpa aceitável para justificar a desistência, numa tentativa frustrada de não admitir o fracasso em relação ao seu intento.

Um exemplo maravilhoso da terceira regra foi dado por Esopo há mais de 2.500 anos. Ele escreveu uma fábula em que conta a história de uma raposa esfomeada e gulosa, que sai do areal do deserto à procura de alimento. Por sorte, ela chega à sombra de um pequeno parreiral na encosta de uma colina. A raposa para, observa e vê, no alto da parreira, deliciosos cachos de uvas. Lambe os lábios e, sorridente, pensa: "Isso é exatamente o que eu sonhei". Ela prepara o salto e pula em direção às uvas, mas não consegue apanhá-las. Ela retesa o corpo e tenta outra vez. O focinho passa a dois palmos das uvas, mas ela cai sem nada. Tenta mais algumas vezes sem sucesso, então decide descansar um pouco. Porém, impaciente, passa a andar em volta da parreira, procurando uma forma mais fácil de apanhar as frutas.

Enfim, decide fazer uma nova tentativa: encolhe mais o corpo, reúne todos os esforços e, após mais uma sequência de pulos frustrados, olha para as uvas com um profundo sentimento de angústia e raiva, sem saber o que fazer. Nesse momento, une-se ao instinto da fome uma estranha e nova sensação: o desapontamento de não conseguir atender a uma necessidade básica. As sucessivas investidas não apenas foram em vão, como, pior que isso, provaram sua incapacidade, algo que lhe atormenta ainda mais. Frustrada, a raposa volta a olhar para as uvas, reflete e, de repente, chega a uma conclusão satisfatória: "Essas uvas devem estar verdes, duras e azedas", diz ela. Conformada, vira as costas para as uvas e para o parreiral e segue em busca de alimentos mais fáceis. Quando está a alguns metros do parreiral, ouve um barulho, volta correndo até onde havia visto as uvas e vasculha o chão, mas, infelizmente, descobre que apenas algumas folhas haviam caído.

Em inúmeras situações, agimos exatamente como a raposa. Inventamos para nós mesmos uma história falsa para proteger nossa estrutura interna do fracasso. A raposa sabia que deveria haver alguma forma de alcançar as uvas, mas sabia também que, se continuasse insistindo e não conseguisse, o fracasso seria ainda pior. Ela não queria ser considerada um animal falido e derrotado. Ela podia muito bem conviver com a fome. O rótulo do fracasso, porém, mexia com sua essência e, por isso, era insuportável.

Você se lembra da primeira regra, que diz que precisamos criar imunidade à rejeição? O erro da racionalização é uma forma equivocada de agir diante dessa regra, usando o paradoxo da apatia como instrumento. Um grande percentual das pessoas fracassa porque, quando se depara com as primeiras dificuldades, assim como aconteceu com a raposa, busca razões convincentes, ainda que falsas, para justificar suas atitudes e seus fracassos. Elas formulam explicações altamente descaracterizadas para justificar sua frustração. Madre Teresa poderia ter usado, de maneira convincente, sua crise espiritual como justificativa para uma desistência. Einstein poderia ter usado a gravidez da sua namorada, a situação financeira de seus pais, as desavenças com seus professores. Gisele poderia ter

AS TRÊS REGRAS DO PRIMEIRO QUILÔMETRO

voltado para casa e dito aos seus pais que, infelizmente, a opinião dos profissionais que a avaliaram eliminava qualquer perspectiva de realizar seu sonho. O mundo os compreenderia perfeitamente.

Quando observamos o comportamento das pessoas diante de um grande desafio, o que vemos, basicamente, é que se dividem em dois grupos. Um grupo enfrenta as pressões com persistência, insiste em seus propósitos, reforça sua guarda, tenta incansáveis alternativas até atingir seu intento, encara os desafios com coragem e provoca mudanças transformadoras, intensas e radicais na sua visão de mundo e na sua forma de viver. E qual o resultado obtido? Esse processo eleva os níveis de crescimento espiritual, desperta potenciais inconscientes, como sabedoria, paixão e entusiasmo, e ativa outras habilidades inatas escondidas em nós. Essas são pessoas que veem tudo como uma chance para mudar e veem suas experiências como uma oportunidade natural de crescimento. Para elas, cada desafio é uma oportunidade de aprender, expandir e evoluir.

O outro grupo, composto pela a grande maioria, é formado por pessoas que cometem o erro da racionalização e usam a razão para inventar uma explicação consistente e aceitável para isentarem-se, diante de si e dos outros, do conceito de fracasso. Quando não conseguem realizar seus propósitos, acusam as circunstâncias, e quando não atingem um intento, tendem a denegri-lo na tentativa de diminuir a gravidade de seu insucesso.

Essas pessoas são controladas pelo pensamento e por suas emoções. Suas ações são limitadas pela sua própria crença. Elas são vítimas das circunstâncias, escravas de causas externas sobre as quais não têm controle. Na verdade, são escravas das limitações que se impõem. Essa deficiência precisa ser superada para que possamos expandir nosso potencial. A constante necessidade de justificar-se diante da vida, de arranjar desculpas para negar nossa responsabilidade, leva a maioria das pessoas ao fracasso. Se você acha que não usa seu talento porque seu chefe não lhe dá abertura, porque há mediocridade à sua volta ou porque sente preguiça, talvez, como a raposa, você esteja sendo vítima do erro da racionalização.

CAPÍTULO 5
A LIÇÃO DE DELFOS

Por que, diante de situações difíceis, certas pessoas se tornam mais fortes, mais confiantes e mais seguras enquanto outras simplesmente desabam?

Nos dias que sucederam o Natal de 1991, uma coisa no mínimo estranha aconteceu em lojas que vendiam CDs nos Estados Unidos. Se você trabalhasse numa dessas lojas, seria inevitável perceber o grande número de adolescentes trocando o CD *Dangerous*, recém-lançado por Michael Jackson, pelo *Nevermind*, do Nirvana. O que estava acontecendo? *Dangerous* era a sensação do momento. A música principal, que dava nome ao álbum, ocupava, havia semanas, o topo da lista das músicas mais pedidas. *Dangerous* parecia ser o presente de Natal perfeito para um adolescente, não fosse por um detalhe.

Embora ainda fosse quase imperceptível para muitos, o mundo da música estava prestes a concluir um ciclo e iniciar outro. Uma banda quase desconhecida, Nirvana, oferecia um novo estilo de rock ao mundo. Os adolescentes que ganhavam o CD do Michael Jackson iam até a loja para trocá-lo pelo CD do Nirvana. Esse fenômeno foi tão intenso que, duas semanas após o Natal, *Nevermind* desbancou Michael Jackson do topo das paradas e assumiu a posição número um, que ocupou por anos a fio.

Criada em 1987 por Kurt Cobain e seu ex-colega de escola Krist Novoselic, a banda Nirvana foi responsável por uma verdadeira revolução musical na década de 1990. Em 1989, dois anos depois de sua criação, já era uma das principais bandas na costa oeste dos Estados Unidos. Quatro anos depois, a música "Smells Like Teen Spirit" marcou o início de uma dramática e eletrizante mudança no mundo do rock'n'roll. Num só golpe, ela varreu dos holofotes os estilos *glam metal*, *arena rock* e *dance pop*, tornando o Nirvana a maior banda de rock do mundo. Era a vez da Geração X, com um estilo de rock mais sujo, mais pesado, que se tornou conhecido como *grunge*. "Smells Like Teen Spirit" foi considerada o hino da nova geração e Kurt Cobain, seu porta-voz.

Apesar do sucesso, a carreira de Cobain foi muito curta e acabou de maneira trágica. No início de abril de 1994, cedendo à pressão das pessoas à sua volta, ele se internou num centro de reabilitação para dependentes químicos, em Los Angeles, apenas para fugir do lugar dois dias depois. O ex-baterista da banda Guns N' Roses, Duff McKagan, encontrou-o num voo entre Los Angeles e Seattle, cidade onde ambos residiam. No decorrer da viagem, Duff percebeu que Cobain estava visivelmente agitado. Cobain contou que havia fugido do centro de reabilitação e que não sabia mais o que fazer. "Eu senti, no fundo do coração, que algo estava errado", contou Duff mais tarde. "Estávamos esperando nossas bagagens quando eu me virei para oferecer uma carona, mas ele já havia desaparecido", revelou.

O que aconteceu após esse encontro se tornou uma das histórias mais trágicas do mundo do rock. Quatro dias depois, um eletricista que instalava um novo sistema de segurança na mansão de Cobain, em Seattle, encontrou seu corpo próximo a uma estufa no quintal da casa. Ele havia se matado três dias antes. Num trecho de uma das cartas de despedida, ele explicou os aparentes motivos do seu suicídio:

A LIÇÃO DE DELFOS

> Há anos eu não me sinto mais animado ao ouvir e fazer música [...]. Quando estou atrás do palco, as luzes são apagadas e o ruído ensandecido da multidão começa, nada me afeta como afetava a Freddie Mercury, que costumava amar, se deliciar com o amor e a adoração da multidão, o que é uma coisa que invejo nele [...]. O pior crime que posso imaginar é enganar as pessoas sendo falso e fingindo que estou me divertindo totalmente [...]. Devo ser um daqueles narcisistas que só dão valor às coisas depois que elas se vão [...]. Preciso ficar um pouco dormente para ter de novo o entusiasmo que eu tinha quando era criança [...]. Eu não tenho mais aquela paixão, então, lembre-se: é melhor apagar de uma vez do que ir sumindo aos poucos.

Kurt Cobain tinha vários problemas. Sua vida foi marcada pela depressão, por insuportáveis dores de estômago, por desgastes emocionais e, para complicar mais ainda, pela dependência de heroína, que ele negava, mas da qual nunca conseguiu — ou quis — libertar-se. A mídia não o poupava. De forma aberta e constante, desmentia Kurt, afirmando sua dependência química. Sua relação com Courtney Love, com quem teve uma filha, também não ajudava muito. Mas será que essas são as causas reais do fim trágico de sua vida? Se cavarmos um pouco mais fundo, não encontraremos outras razões para o problema de Cobain?

Poucas semanas antes de concluir o ensino médio, Cobain percebeu que suas notas não permitiriam que ele se graduasse e abandonou a escola. A essa altura, seus pais estavam divorciados, e Cobain morava com a mãe. Porém, já residira na casa de amigos, com parentes próximos, e até mesmo na rua. Quando sua mãe soube que ele havia desistido da escola, deu-lhe um ultimato: ou conseguia um emprego ou seria expulso de casa. Poucos dias depois, ele estava vivendo na rua outra vez. Para se proteger do frio, costumava passar as noites em salas de espera de hospitais, fingindo ser parente de algum paciente internado.

Essa situação se estendeu até o final de 1988, quando ele finalmente conseguiu alugar um apartamento. Para ganhar dinheiro, trabalhou como salva-vidas num hotel na costa do estado de Washington. Foi neste período que a banda foi criada. Em maio de 1991, num show em Los Angeles, conheceu Courtney Love, vocalista da banda Hole. Menos de um ano depois, Courtney estava grávida. Eles se casaram. Cobain dizia estar muito feliz e atribuía essa felicidade à sua relação com Courtney. "Há dois meses, noivei, e minhas atitudes mudaram radicalmente", disse ele, na época, em um documentário da MTV. "Não acredito no quanto estou feliz. Estou tão cegamente apaixonado que muitas vezes nem percebo que estou numa banda", prosseguiu. "Sei que isso parece meio constrangedor, mas é verdade. Eu poderia abandonar a banda agora mesmo. Isso não importa, mas estou sob contrato." Os fãs da banda, porém, odiavam Courtney. Eles a acusavam de ter se aproximado de Kurt apenas para tornar-se famosa.

Em 1992, a situação piorou. Em 19 de agosto, um dia depois do nascimento da filha de Cobain, a revista *Vanity Fair* publicou uma entrevista com Courtney em que ela disse que consumira heroína durante a gravidez. A notícia teve o efeito de uma bomba. Cobain ficou apavorado. Ainda na maternidade, com uma arma na mão, propôs a Courtney que ambos se suicidassem. Eles haviam feito um trato de que, se qualquer coisa acontecesse com a filha, os dois se suicidariam. Após a entrevista, temeram perder a guarda da filha, e Cobain quis fazer o que havia sido combinado, mas Courtney conseguiu persuadi-lo a desistir da ideia. O casal teve de disputar a guarda da filha na justiça, que determinou que o vício de ambos os desqualificava a assumir a paternidade. Quando a filha completou duas semanas, eles perderam a guarda. A justiça determinou que a menina ficaria com a irmã de Courtney. Depois de meses de brigas judiciais, seguidas de escândalos e humilhações, Cobain e Courtney conseguiram obter a guarda da filha, o que deu início a um curto e raro período de estabilidade na vida de Cobain.

O Fator Cobain

A Lei da tripla convergência, de que falei no capítulo 3, diz que, para obter sucesso, um propósito precisa ser construído sobre o ponto de convergência de três fatores: talento, paixão e renda. Se analisarmos essa lei no contexto da vida de Kurt Cobain, inevitavelmente chegaremos à conclusão de que ele se adequou perfeitamente a ela. Seu talento para a música era inquestionável. *Nevermind*, lançado em setembro de 1991, foi considerado uma obra-prima. O álbum catapultou a banda para a popularidade e transformou-a num fenômeno mundial. Foram vendidas cerca de 25 milhões de cópias. Ainda hoje esse é considerado um dos álbuns mais importantes e influentes da história do rock.

E quanto à paixão? Cobain revelou, na sua carta de despedida, que já não sentia paixão pela música, mas basta ver seus clipes e suas entrevistas para perceber que isso não era verdade. Ele era tão apaixonado por música que, além dos álbuns do Nirvana, há suspeitas de que compôs praticamente sozinho os primeiros álbuns da banda Hole, da qual sua esposa era vocalista. Além disso, mesmo depois de conquistar o mundo, a banda seguiu sua enérgica carreira e lançou discos extraordinários. Todos são aclamados mundialmente como verdadeiras obras de arte. Não há como obter tanto sucesso sem estar apaixonadamente envolvido no trabalho. Mas, ainda que tivesse perdido sua paixão, Cobain poderia simplesmente encerrar sua carreira e se envolver em algo mais excitante. Ele não o fez porque a música era sua paixão. Do terceiro fator, renda, é desnecessário falar. Nos últimos anos, Kurt faturou milhões.

O que faz com que pessoas como Kurt Cobain, apesar do seu imenso sucesso, sejam tão vulneráveis às circunstâncias que os envolvem? Analisando de maneira superficial, somos tentados a atribuir o suicídio de Cobain ao uso de drogas, à sua vida desregrada e às distintas formas de pressão que ele sofreu. Porém, essa explicação cai por terra sob um olhar mais atento, pois basta observar a maneira como Cobain reagia às críticas da imprensa e de seus fãs para perceber que o problema era estrutural. Ele era extremamente suscetível a qualquer opinião. Uma simples crítica negativa da imprensa o atingia a ponto de querer tirar sua própria vida (e foi o que ele fez). O problema da dependência em heroína era uma consequência da dificuldade de lidar com todas essas situações. O que aconteceu com Cobain, e que pode ser chamado de Fator Cobain, foi uma espécie de perda absoluta de identidade. Sem uma identidade própria, ele passou a se agarrar às imagens que a imprensa construía dele. Um elogio lhe dava ânimo ao passo que uma crítica o desestabilizava completamente.

O Fator Cobain é um problema muito mais comum do que podemos imaginar. Lidamos com seus efeitos diariamente, experimentando sentimentos confusos sobre quem realmente somos. Em outras palavras, o Fator Cobain é a incapacidade de assumirmos nossa própria identidade e ignorarmos o discurso social que nos diz o que devemos ser e como devemos agir. Observe as pessoas ao seu redor: o garçom, a atendente de uma loja, o corretor de imóveis, o político, o padre, o dono da padaria que fica na esquina de sua casa. Todos demonstram um estranho comportamento, como se estivessem desempenhando um papel completamente alheio ao que são em outras circunstâncias. O garçom, por exemplo, faz movimentos rápidos, regidos pela situação; o padre assume um ar de seriedade quando sobe ao altar; o político se torna simpático; a balconista se torna amigável e sorridente. O que eles estão fazendo? Estão representando um papel, sendo algo que eles não são. Essas pessoas agem de acordo com sua atividade para realizá-la. O problema que chamo de Fator Cobain surge quando confundimos essa imagem com quem realmente somos. Quando isso ocorre, perdemos nossa identidade e o contato com nossa essência. Se não sabemos quem somos, temos dificuldade de lidar com tudo que surge à nossa volta. Quando isso acontece, somos afetados por opiniões e fatos externos, que assumem o controle sobre nossa vida e transformam-nos numa sombra dessas opiniões alheias.

Qual é, por exemplo, o objetivo de criar um perfil num site de relacionamentos? Encontrar uma pessoa com quem você queira dividir sua vida, certo? Então, parece fundamental ser honesto desde o princípio. Mentir sobre renda, aparência, peso e altura são pontos negativos. Caso opte por negligenciar a verdade sobre essas questões, você será desmascarado já no seu primeiro encontro. Inevitavelmente, isso afetará seu objetivo final. Tudo isso é muito óbvio, mas como agimos na prática?

Alguns anos atrás, o economista comportamental Dan Ariely e uma equipe de pesquisadores da Universidade de Chicago realizaram um estudo para averiguar o nível de sinceridade em perfis de sites de relacionamentos. A equipe analisou 30 mil perfis. O resultado foi revelador. A maioria das pessoas que tiveram seu perfil analisado dizia ter entre 26 e 35 anos. Mais de 4% dizia que sua receita anual era igual ou superior a 200 mil dólares, ou seja, que recebiam um salário de 16,6 mil dólares ou mais. Na verdade, outras pesquisas afirmam que menos de 1% dos usuários de internet tem renda nesse patamar. Portanto, chega-se a uma conclusão clara de que no mínimo três em cada quatro pessoas mentiram sobre sua renda. Os usuários também, ironicamente, diziam-se muito mais altos do que a média das pessoas. As mulheres, em geral, pesavam dez quilos a menos do que a média das mulheres pesa na vida real.

Os números são ainda mais contraditórios quando se trata da percepção da própria aparência. Três de cada quatro mulheres diziam ter uma beleza acima da média. Uma em cada quatro dizia ser muito bonita. Isso quer dizer que as chances de encontrar uma mulher com um nível de beleza médio são muito pequenas. Se sua intenção é encontrar uma mulher feia, será simplesmente impossível. Suas chances de encontrá-la num site de relacionamento são uma em cada cem.

E os homens? Apesar de não serem rotulados como vaidosos, os números não diferem muito quando se trata de autodescrição. No quesito beleza, 67% também diziam estar acima da média. A cada dez, dois se diziam muito bonitos. Apenas um em cada cem assumia estar um pouco abaixo do que é considerado o padrão de beleza médio. Numa análise geral, todos eram muito mais altos, muito mais ricos, mais atléticos e muito mais bonitos do que a média dos homens da vida real. Esses dados levam a uma pergunta inevitável: se essas pessoas são tão bonitas assim, por que precisam de um site para encontrar alguém?

Os três estágios

Em 1970, dois cientistas chilenos, Humberto Maturana e Francisco Varela, divulgaram uma teoria revolucionária sobre cognição humana, que ficou conhecida como Teoria da cognição de Santiago. Maturana e Varela concluíram que usamos a mesma capacidade que possuímos para imaginar coisas, ter ideias e projetar a construção de objetos para criar uma imagem virtual sobre nós mesmos, um *eu* à parte para além do que somos.

Mas por que excedemos tanto os limites da verdade na hora de criar essa imagem de nós mesmos? Porque, assim como acontece quando conhecemos uma pessoa ou quando vamos a uma entrevista de emprego, queremos causar uma boa impressão. Para isso, deixamos de lado a realidade e apelamos para a construção do que acreditamos ser uma pessoa ideal, ou seja, alguém melhor do que nós. Isso revela um ponto crucial do Fator Cobain: se, para causar uma boa impressão, acreditamos ser necessário criar uma imagem melhorada de nós mesmos, no fundo temos a convicção de que na realidade não somos bons o suficiente.

Essa é uma constatação importante para quem deseja ter sucesso e felicidade na vida. Muitos de nós passamos a vida projetando uma imagem muito diferente daquilo que somos. Criamos uma imagem de como achamos que deveríamos ser e agir para sermos aceitos e admirados pelos outros, na verdade, uma imagem daquilo que acreditamos que seria uma pessoa ideal. Inventamos essa imagem para parecermos perfeitos, mas, no fundo, sentimo-nos inseguros porque sabemos que, por mais perfeita que essa imagem seja, ela não é real. Esse é o segundo ponto crucial do Fator Cobain: se não podemos ser autênticos, vacilamos. Temos medo de que, sendo autênticos, não sejamos bons o suficientes. Ao não sermos autênticos

A LIÇÃO DE DELFOS

diante dos outros, não somos autênticos diante de nós mesmos. Escondemos nossas deficiências e nossos erros. Porém, no fundo, vivemos com medo e culpa e sentimo-nos arruinados. Buscamos o amor e a admiração dos outros, mas não amamos e admiramos a nós mesmos.

O ponto crucial desse processo é que, mesmo que tenhamos consciência de que essa imagem que criamos não é real, aos poucos ignoramos esse detalhe e começamos a realmente representar essa imagem. Sabemos que ela é falsa, mas investimos nossa energia nela, construímos toda uma estrutura para sustentá-la. Este é o terceiro ponto do Fator Cobain: envolvidos nesse processo, nós nos afastamos completamente da nossa essência e passamos a responder à essa imagem como se ela fosse real. Em outras palavras, nós nos confundimos com essa imagem. Para facilitar a compreensão desse processo, vamos analisar cada estágio com mais cuidado.

1. Estágio da identificação

O primeiro estágio tem início já nos primeiros anos da infância, quando aprendemos conceitos básicos como bom e ruim, bonito e feio, sucesso e fracasso, inteligência e ignorância. Assim que adquirimos uma noção sobre essas distinções, passamos a analisar, comparar e rotular as pessoas. Também percebemos que somos analisados e rotulados pelos outros. Então, passamos a formar opiniões sobre os outros, sobre nós e sobre tudo que nos cerca. As notas que tiramos nas provas do colégio nos dizem se somos inteligentes ou não e comparamos nossa aparência. Encontramos ídolos e vemos o quanto eles são admirados pelo mundo. A partir de então, começamos a nos preocupar em causar certa impressão. Quando algo nos impressiona, passamos a imitar esse comportamento. Quem somos já não importa. Queremos ser como Kurt Cobain ou como qualquer outro.

Em pouco tempo, não sabemos mais quem somos. Para recuperar nossa imagem buscamos mais opiniões. Isso nos leva a ir em busca de aprovação. Precisamos ouvir dos outros o quanto somos especiais, diferentes. Essa busca se torna nosso foco. O que os outros dizem ganha uma importância fundamental. As opiniões contam tanto porque nossa história é feita em cima dessas opiniões. No lugar do nosso *eu* autêntico, criamos um boneco de opiniões. É esse boneco que passa a atender ao telefone, representar-nos nas reuniões, frequentar a igreja e ir às festas. Representar o tempo todo é difícil, por isso ficamos cansados, frustrados, irritados, inseguros e estressados.

Todos os nossos esforços se concentram em definir a imagem que queremos representar. Temos medo de que, ao sermos autênticos, ao sermos simplesmente quem somos, os outros nos considerem incapazes. Por um estranho motivo, acreditamos que sermos quem somos não é o suficiente, e, como não podemos ser quem não somos, criamos essa história sobre nós. Projetamos uma imagem abstrata e irreal sobre nós a partir de três fatores externos: *posses* (o que possuo, minhas conquistas, meus bens), *corpo* (minha aparência, as roupas que visto) e *status social* (meus títulos acadêmicos, minha posição social, meu emprego).

2. Estágio da defesa

Uma vez que definimos essa imagem, entramos no segundo estágio. Nele, passamos a defendê-la. Como tudo que é abstrato, essa imagem é vulnerável, frágil, sensível e altamente perecível. Ela precisa de intensa proteção.

A manutenção dessa imagem se torna nosso propósito. É nela que investimos nosso tempo e nossa energia. Isso nos impede de descobrir quem somos, e, consequentemente, torna nossas reações imprevisíveis. São os outros que nos definem e que nos constroem. Eles são a parede contra a qual nossa imagem se manifesta. Sem eles, essa imagem não existe.

Mesmo projetando uma imagem ideal, internamente nos sentimos inferiores, vazios e ridículos. Temos a sensação de que os outros estão sempre nos observando e julgando e de que, a qualquer hora, descobrirão nossa farsa. Qualquer opinião altera nossa imagem e transforma-a profundamente. Quando nos preocupamos demais com a opinião dos outros, criamos inibição e artificialidade. Quando monitoramos conscientemente cada ato, cada palavra e cada movimento, agimos de maneira artificial. Nada parece estar a nosso favor.

3. Estágio da consequência

No terceiro estágio, sofremos as consequências dos estágios anteriores. Após criarmos uma nova imagem e nos confundirmos com ela, nós nos desviamos de quem realmente somos. Nossa integridade se corrompe e nossa autenticidade desaparece. Para proteger essa imagem criamos uma barreira opaca feita de conceitos, opiniões, julgamentos e definições que bloqueiam todas as nossas relações. Essa barreira lentamente passa a se impor entre nós e a natureza, entre nós e Deus, entre nós e os demais seres humanos e, principalmente, entre nosso eu autêntico e a imagem que criamos de nós mesmos. Com isso, cria-se a ilusão de que estamos numa constante competição com tudo e com todos. Por isso, nós nos isolamos de tudo e de todos. Como consequência, sentimo-nos sozinhos. Vivemos atormentados, insatisfeitos e inseguros. A vida se torna um fardo.

Se buscamos a ajuda de um profissional, somos encorajados a melhorar nossa imagem com um sorriso, com entusiasmo e com paixão. Somos estimulados a adotar novos sistemas, técnicas, princípios e linguagens para aprimorar essa imagem, mas nada parece funcionar por muito tempo. Sentimo-nos vazios. Lá dentro, a voz da autenticidade não se cala e continua sussurrando coisas ao nosso ouvido. Ela quer seu espaço. Por tudo isso, sentimo-nos profunda e desnecessariamente tristes durante a maior parte do tempo.

A Lição de Delfos

A Fócida é uma região montanhosa do centro da Grécia, atravessada pelo grande maciço do monte Parnaso. Das rochas dessas montanhas afloram inúmeras nascentes que formam belíssimas fontes de águas cristalinas. Uma dessas fontes é conhecida como Castália. Rodeada de um lindo bosque de loureiros, os gregos acreditavam que as musas e ninfas costumavam se juntar ao deus Apolo em torno dessa fonte. Enquanto ele tocava lira, as divindades cantavam. Os gregos acreditavam que Apolo era filho de Zeus, o senhor supremo do céu e da terra. Seu reino era amplo. Ele era considerado o deus da luz, da verdade, da beleza, da música, da poesia, das artes e da profecia. O fascínio dos gregos por Apolo era tanto que, por volta do ano 600 a.C., ergueram um majestoso templo em sua homenagem. Na fachada principal do templo, encravaram uma famosa máxima dos pensadores da época: "Conheça-te a ti mesmo e terás a chave do universo e os segredos dos deuses."

O templo de Apolo tornou-se a sede do oráculo sagrado. Ele era habitado pela sacerdotisa Pítia, ou Pitonisa, como também era chamada, considerada dona do futuro. Suas profecias eram sagradas e sua fama ia além das fronteiras do império grego. Pessoas vinham de toda parte para visitar o oráculo na esperança de descobrir o que o destino havia reservado para elas. Durante séculos, generais buscaram conselhos, colonizadores almejaram orientação e cidadãos consultaram-no sobre sua vida pessoal. No entanto, nada atiçava tanto o interesse dos sábios quanto a inscrição na fachada do templo, a grande Lição de Delfos.

Como, porém, podemos conhecer a nós mesmos? Considere isso da seguinte maneira: Você pensa o tempo todo, certo? Mas alguma vez você já pensou sobre o que você pensa? Sobre o motivo pelo qual pensa o que pensa? Para descobrir quem somos, temos de adquirir as habilidades de pensar, de forma deliberada, sobre o que pensamos, de conhecer o motivo pelo qual pensamos o que pensamos e de assumir o controle sobre nosso pensamento. Temos de desenvolver a capacidade de pensar do modo que queremos pensar, assumindo o domínio sobre o pensar compulsivo que nos domina e que cria essa imagem ilusória de um *eu* diferente do *eu* real.

Apesar da tensão persistente entre o pensar deliberado e o pensar compulsivo, nós temos o poder natural de pensar o que quisermos pensar, porém poucas pessoas desenvolvem essa capacidade. Escolher o que pensar exige muito mais esforço do que ter pensamentos involuntários. Deixar o pensamento se manifestar é simples, mas pensar de forma deliberada é trabalhoso e requer um autocontrole extraordinário. Não há coisa da qual as pessoas fujam mais do que manter o pensamento focado em alguma coisa específica e escolhida deliberadamente. Contudo, essa é a única forma de conhecer o *eu* que está por trás das aparências.

Todos nós temos um filtro mental que define como iremos reagir a cada estímulo. Esse filtro é a forma característica como vemos o mundo. Ele nos diz a qual estímulo reagir e qual estímulo ignorar, qual tipo de comportamento odiar ou amar. É esse filtro que cria motivação em nós. Ele define como pensamos e força-nos a ter certas atitudes. Ele é único. Ele controla e filtra tudo o que acontece à nossa volta e cria um mundo que é só nosso. É esse filtro que faz com que uma pessoa ao nosso lado, mesmo diante da mesma situação, reaja de maneira completamente diferente. Quando julgamos alguém, quando avaliamos seu comportamento ou suas atitudes, usamos esse filtro. Também usamos o mesmo filtro para julgar a nós mesmos. Esse processo não é racional, lógico nem consciente. Ele não se manifesta de vez em quando. Ele está funcionando neste exato momento, enquanto você está lendo estas palavras. A maneira como você interpreta o que está lendo é só sua. Esse filtro define quem você realmente é. Ele é composto por caráter, valores, princípios e convicções. Conhecer-se a si mesmo é ter consciência de que filtro usamos para ver o mundo e obter controle absoluto sobre ele.

E como você conseguirá atingir esse estágio? Da mesma maneira como descobre o caráter dos outros, ou seja, analisando, avaliando e refletindo sobre suas atitudes. Da mesma forma, temos de observar, analisar e avaliar a nós mesmos. Ao fazer essas análises com honestidade, descobriremos rapidamente que não somos o que pensamos ser, que aquilo que pensamos ser são apenas opiniões a nosso respeito e que, na verdade, somos o ser que pensa e que manifesta essas opiniões. Dessa forma, nosso eu verdadeiro e autêntico se revelará cada vez mais claramente por trás das opiniões.

A vida baseada na Lição de Delfos

Se analisarmos a vida de pessoas bem-sucedidas, veremos uma verdade evidente. Pense, por um instante, sobre o início da carreira de Gisele Bündchen. Se ela se identificasse com uma falsa imagem de si mesma formada por opiniões, qual teria sido sua reação ao ouvir que tinha um nariz muito grande? Que seu jeito de desfilar era estranho? E, se ela comparasse seu corpo com o das modelos esqueléticas que estavam no topo do mundo da moda em 1995, como Kate Moss? Se ela tivesse uma imagem insegura de si mesma, como teria sobrevivido a oito meses de rejeições no início da carreira?

"Ouvir um 'não' na adolescência é muito difícil", explicou Mônica Monteiro, ex-agente de Gisele. "Já vi meninas fazerem muita loucura depois de ouvir um 'não', após terem tido certo sucesso, como uma participação numa novela ou numa campanha grande, e então serem esquecidas", argumentou ela. Esse tipo de exposição tem despertado muita controvérsia na imprensa. Existem discussões legítimas sobre até que ponto é humano expor adolescentes a esse tipo de rejeição. O trágico não é que essas meninas sejam expostas a situações duras, mas que não estejam preparadas para essas situações. "Algumas diziam que eu nunca conseguiria!", conta Gisele. "Mas eu tinha consciência de que nem todo mundo precisa gostar de mim! Algumas pessoas gostam de melancia; outras, de abacaxi. Isso não quer dizer que a melancia é mais saborosa do que o abacaxi. As pessoas têm gostos diferentes", afirmou ela.

A Lição de Delfos nos ensina que um desenvolvimento pessoal requer foco em um único ponto: aquilo que verdadeiramente somos. "Gisele nunca permitiu que os críticos a colocassem para baixo. Ela tem um corpo maravilhoso, mas o que realmente a fez alcançar tamanho sucesso foi sua personalidade, a maneira como ela age, seu profissionalismo", afirmou Patrícia, irmã gêmea da modelo.

O resgate da autenticidade

Por tudo isso, uma vida baseada na Lição de Delfos é muito diferente de uma vida comum. Se Gisele ou Elizabeth Gilbert, por exemplo, sentassem ao nosso lado num avião e olhassem pela janela, elas não enxergariam o mesmo mundo que muitos de nós vemos. Elas têm um filtro diferente. Enquanto a maioria de nós se preocupa em causar uma boa impressão ou em rejeitar aqueles que não causam uma boa impressão, pessoas como Gisele ou Elizabeth encantam com sua autenticidade imbatível. A autenticidade, por si só, é atraente, magnética. Ela possui um impacto poderoso sobre outras pessoas. Quando entramos em contato com ela, temos a sensação de estar diante de algo real, seguro. Nossa sombra, ao contrário, transpira insegurança e instabilidade.

Você já se perguntou por que gostamos tanto de crianças? Não é pelas coisas que elas possuem. Nem pelas coisas que sabem, mas puramente pelo que são. Elas não tentam causar uma impressão, não tentam representar. Não existe superficialidade, segundas intenções ou interesse. Por isso, a melhor maneira de causar uma boa impressão é não tentar causar impressão alguma, e sim ser exatamente quem somos. Todos nós temos essa criança trancada dentro de nós. Ela é nossa autenticidade.

Um erro fatal

Por que a única forma de descobrir quem somos é observar nosso pensamento e assumir o controle sobre ele? A resposta é muito simples. Para chegar a ela, suponha que você esteja numa sala de cinema. À sua volta, tudo está escuro. Nada lhe distrai. Toda a sua atenção está focada na enorme tela à frente. Nas cenas que se seguem, o herói do filme está prestes a cair numa armadilha preparada pelo vilão. Você fica ansioso. Torce para que o herói não faça o que está prestes a fazer. Você está tomado de angústia. Revolve-se no assento. "Não... não...!", pensa, quase em voz alta. Mais à frente, alguém ainda mais empolgado joga pipocas na tela e grita: "Não faça isso! Você vai se ferrar!".

A cena passa. Seu herói, no último instante, decide seguir o caminho oposto. Pelo menos por enquanto, safou-se da armadilha. Você relaxa. Distrai-se. Olha para os lados e, depois, para o alto. Por sobre o público, percebe a luz do projetor cortando o vazio da sala. Você vira o rosto e segue o feixe de luz até o projetor. Num momento, toda a empolgação desaparece. A história do filme agora lhe parece menos real. Você sabe que, por mais que tentasse, por mais que jogasse até a cadeira na cabeça do personagem, você não conseguiria mudar o roteiro do filme. A história já está filmada, editada, pronta, e, cada vez que você repetir o processo, o resultado será o mesmo. A única forma de alterar as imagens que aparecem na tela é alterar o filme que está sendo rodado no projetor.

Na vida real, acontece a mesma coisa. Na maioria das vezes, insistimos em tentar mudar as imagens da tela sem mudar o filme. Quando tentamos mudar nossa imagem externa, em vez de mudar o eu, é como se estivéssemos tentando mudar as imagens na tela do cinema ao jogar pipocas ou alertar o personagem sobre o perigo. Olhamos para as imagens que projetamos sonhando que, um dia, elas se tornarão mais coloridas, mais reais. Ganhamos uma atitude mais positiva e sentimos que estamos decididos a mudar, mas a primeira pessoa que encontramos na rua olha para nós e exclama: "Puxa, você engordou!". E, então, nossa imagem é extremamente afetada.

No momento de escolher uma profissão, esquecemos nosso talento. Olhamos para o mercado de trabalho e tentamos descobrir o que dá dinheiro e o que nos traz segurança. Olhamos para as imagens que temos à nossa frente e esquecemos o que existe dentro de nós. Mais tarde, quando tudo parece artificial, quando nada parece ter sentido, fazemos um esforço intencional para tentar consertar as imagens.

Porém, da mesma forma como não é possível mudar as imagens da tela do cinema sem mudar o conteúdo do projetor, não é possível fazer uma grande mudança na nossa vida se estivermos iludidos sobre quem somos. Não existe mudança nos efeitos se não mexermos nas causas. A insatisfação não pode ser tratada com analgésicos. Ela precisa ser curada na fonte. Precisamos mexer nos fundamentos.

O Fator Cobain *versus* a Lição de Delfos

Em dezembro de 2006, Gisele Bündchen conheceu um jogador de futebol americano chamado Tom Brady. Os dois vinham de relações frustradas. Ela terminara, menos de um ano antes, um namoro com Leonardo Di Caprio, que, entre idas e vindas, durara quase cinco anos. Tom Brady havia rompido, poucos meses antes, uma relação de três anos com a modelo e atriz Bridget Moynahan.

Gisele e Tom se conheceram por meio de um amigo. A atração foi mútua e instantânea. "No momento em que olhou para mim, ele sorriu. E eu pensei: 'Esse é o sorriso mais lindo e carismático que eu já vi!' Naquele dia, conversamos durante três horas. Eu tive de ir embora, mas não queria sair de perto dele. Depois desse encontro, nós nos falamos todos os dias", contou Gisele. Os dois passaram a se ver e logo assumiram o namoro.

Dois meses depois, em fevereiro de 2007, a ex-namorada de Tom Brady contou à revista *People* que estava grávida de três meses e que Tom Brady era o pai da criança. Foi um choque. "Você está vivendo o começo de um verdadeiro conto de fadas, algo tão bom que parece nem ser verdade, e, então, ops! Você acorda do sonho com um susto!", contou ela. Gisele e Tom estavam namorando havia dois meses e meio quando receberam a notícia. Foi uma situação muito desafiadora. "É óbvio que, no início de uma relação, esta não é uma notícia que a gente quer receber", disse ela. Apesar de todo o desconforto da situação, o casal permaneceu junto, solidificou a relação e casou-se em 2009.

Por que Gisele se sobressai em situações em que muitos falhariam? Existe uma forma fácil de desvendar esse enigma e já falei sobre ela: basta observar o filtro através do qual ela vê as circunstâncias. "Nós nos perguntávamos o que podíamos aprender com aquilo, que coisa positiva podíamos tirar daquela situação", contou Gisele, referindo-se à gravidez de Bridget. "Nós dois crescemos muito. Em todas as situações há algo de bom, de positivo. Trata-se apenas da forma como você olha para a situação. Tudo que vale a pena tem seu preço. Para tornar-me modelo, eu tive de deixar minha família quando ainda era quase criança. Você pensa que eu gostei disso? Não. Mas a vida exige sacrifícios", completou ela.

A intenção deste livro não é criar um mito em torno de Gisele Bündchen. Ao contrário, a intenção é desmistificar seu sucesso e sua felicidade, constatando coisas óbvias em sua maneira de agir e vendo a quais resultados levam. Ao longo do livro citei vários exemplos da singularidade de suas atitudes, mas todos têm uma coisa em comum: a simplicidade. Em nenhum momento Gisele teve de mudar o mundo ou usar capacidades paranormais para alcançar seu propósito, mas em nenhum momento alterou seu comportamento, suas opiniões ou sua conduta para agradar outras pessoas. Tudo o que ela fez, em todas as situações, foi focar-se em seus princípios pessoais, buscando respostas dentro de si. Em todos os casos, tanto nos momentos de glamour como nos desafios, ela preservou sua autenticidade. Isso também pode ser notado nos outros exemplos que utilizei até aqui. Pense nas histórias de Sylvester Stallone, Elizabeth Gilbert, Madre Teresa e Albert Einstein. Todos eles mantiveram o foco voltado para dentro de si. Todos seguiram a Lição de Delfos. Com Kurt Cobain, no entanto, aconteceu o contrário.

Talvez alguém argumente que a diferença entre Cobain e pessoas como Gisele são as circunstâncias em que nasceram. Cobain teve a infelicidade de nascer entre circunstâncias adversas em muitos sentidos. Gisele nasceu numa família estruturada. Se acreditarmos nesse argumento, estaremos afirmando, em termos mais simples, que o sucesso está estruturado sobre fatores alheios a nós, como a sorte de nascer em determinadas circunstâncias. Se você acredita

A LIÇÃO DE DELFOS

nisso, o que pode dizer de pessoas como Sylvester Stallone? O erro do Fator Cobain é justamente entregar sua vida a circunstâncias que estão fora do seu controle. É dessa entrega que surgem sintomas destrutivos como medo, angústia, insegurança e desespero.

Apesar disso, temos uma tendência muito forte a acreditar em argumentos como a sorte. Existe algo em nós que nos faz crer que a resposta para questões como "por que ele conseguiu e eu, não?" é necessariamente complicada e está além da nossa compreensão. Acreditamos que, para ter sucesso na vida, precisamos derrotar toda a competição e vencer o mundo. Mas não é assim. A Lição de Delfos nos impele a olhar o mundo de maneira diferente e entender que tudo o que precisamos vencer é a falsa noção que temos sobre nós mesmos.

Ao longo deste livro, falei muito sobre individualidade, e há uma razão: nós somos o único obstáculo a ser vencido na busca por nossa realização. Essa é a contribuição da Lição de Delfos. Na vida, temos problemas e crises. A vida de Gisele, por ser uma celebridade, nunca foi simples nem descomplicada, e ela nunca esperou que fosse diferente. "A vida em si é um desafio", confessou ela apenas para, em seguida, justificar-se: "Mas são justamente os desafios que nos fazem crescer".

Aí, então, está o motivo pelo qual Gisele consegue conviver com momentos de pressão enquanto Kurt Cobain não conseguiu. Gisele construiu sua imagem com base em suas próprias opiniões. Cobain construiu sua identidade a partir das opiniões dos outros. Ele era sensível, frágil e altamente afetado pelas circunstâncias à sua volta, que alteravam a percepção que ele tinha de si mesmo. Gisele, por sua vez, não importando o que aconteça à sua volta, age como se enfrentasse um desafio que poderá fortalecê-la em vez de destruí-la. Em outras palavras, quando acontecia alguma coisa negativa em sua vida, Cobain olhava para o mundo e se perguntava o que a mídia faria dele. Quando acontece algo negativo na vida de Gisele, ela olha para dentro de si e se pergunta o que pode fazer diante daquela situação. Em suma, o que distingue as pessoas que alcançam seus objetivos e as outras que fracassam não são os fatos e as circunstâncias que as envolvem, mas a maneira como elas lidam com o mundo. A diferença entre as pessoas que se fortalecem com uma crise e aquelas que sucumbem é que as primeiras constroem sua personalidade de dentro para fora e as outras, de fora para dentro.

Invertendo o processo

De forma mais genérica, a Lição de Delfos, então, ensina que é preciso construir a vida de dentro para fora, e não de fora para dentro. A busca pelo autoconhecimento revela nossa essência e fornece-nos o fundamento, a base da qual extraímos o conjunto de características que nos habilita a seguir nosso talento e nossa paixão e a elaborar um propósito específico que nos dê foco e energia para alcançar nossa realização profissional.

Se olharmos o sucesso por esse ângulo, como um processo de dentro para fora, e não de fora para dentro, é possível compreender por que algumas pessoas têm uma influência tão grande sobre o mundo que as cerca. Essa influência vem da sua autenticidade. Essas pessoas vivem num mundo complexo, mas não complicado. Complexo porque estão em meio a inúmeras circunstâncias que as afetam, e descomplicado porque têm o poder de agir sobre essas circunstâncias, não permitindo que o contrário aconteça. E esse poder lhes é dado pela Lição de Delfos.

Em outras palavras, a chave para mudar nosso comportamento está em pequenos detalhes como o filtro através do qual olhamos para as mais diferentes circunstâncias. Se o seu filtro for a Lição de Delfos, você olhará para dentro de si e avaliará seus pontos fortes e seus pontos fracos. Aceitará ambos, lidará com eles com naturalidade e criará uma imagem fundamentada de si mesmo. Você saberá onde está seu potencial e se sentirá seguro em relação a ele; também conhecerá seus pontos fracos e, por isso, saberá como lidar com eles. Não terá nada a esconder, nem precisará esconder qualquer coisa. Nada poderá lhe surpreender. Você se sentirá seguro porque sua imagem tem bases sólidas. As opiniões alheias não lhe afetarão.

Se seu filtro, no entanto, for o Fator Cobain, a ameaça de ser desmascarado e destruído será constante, e você precisará usar toda a sua energia, o tempo inteiro, para preservar sua imagem virtual. Qualquer exposição será uma ameaça e seu foco estará em proteger essa imagem. A Lição de Delfos o estimula a inverter esse processo, descobrir seu eu verdadeiro e construir sobre ele. A exposição, que no Fator Cobain é uma ameaça, torna-se uma oportunidade. Você desejará que descubram quem você é porque a exposição mostrará sua singularidade, e é nessa singularidade que está nosso valor.

CAPÍTULO 6

O PARADOXO DA INTELIGÊNCIA

Por que pessoas simples conseguem resultados extraordinários enquanto muitas pessoas superdotadas intelectualmente alcançam resultados medíocres?

Todos os anos, a Victoria's Secret promove um espetáculo para a imprensa e para convidados especiais com o objetivo de expor sua marca em nível mundial. No evento, cerca de vinte modelos conhecidas como Victoria's Secret Angels apresentam-se numa passarela. Muitas dessas modelos estão na lista das mulheres mais lindas do mundo elaborada anualmente pela famosa revista *Forbes*. Nessa noite, elas usam apenas lingeries e saltos altos, finos e sensuais.

Em novembro de 2002, o show aconteceu no Lexington Avenue Armory, localizado no badalado centro de Nova York. Ingressos foram vendidos a mil reais. Personalidades, como o magnata e presidente dos Estados Unidos Donald Trump, a apresentadora de TV Susan Lucci e o ator Woody Harrelson, estavam lá. Nove milhões de espectadores assistiriam ao desfile quando fosse transmitido, dias depois, pela emissora CBS. Modelos famosas como Naomi Campbell, Tyra Banks e Karolina Kurkova já garantiam o brilho da noite, mas o que realmente atiçava a expectativa do público era a presença de Gisele Bündchen. No camarim, ela se preparava para mais uma noite de glamour. Ela sabia que era a estrela e cuidou dos mínimos detalhes antes de subir na passarela. Quando chegou sua vez, deixou o camarim usando uma cinta-liga preta e sapatos de salto alto vermelhos. Ela sabia que, como sempre, arrancaria suspiros de quem a visse.

O que Gisele não sabia é que no momento em que entrasse na passarela e avançasse em direção às câmeras quatro mulheres saltariam das primeiras fileiras e invadiriam a passarela. Nas mãos, elas traziam cartazes com frases que agrediam a modelo. O episódio durou menos de trinta segundos. Gisele mal entendeu o que estava acontecendo. Cautelosamente, continuou desfilando como se tudo aquilo não fosse com ela. Mas era.

A Blackglama é uma das poucas fabricantes de roupas e acessórios que ainda usa peles de animais para confeccionar suas peças. A marca é odiada por ativistas no mundo inteiro. Este não era o primeiro protesto da Peta. Na verdade, o grupo de defesa dos animais já havia criado situações semelhantes muitas vezes. Suas manifestações acontecem em qualquer lugar do mundo, a toda hora, sempre envolvendo pessoas famosas. Por que Gisele se tornara o alvo da vez? Justamente porque assinara um contrato com a Blackglama meses antes desse desfile. Esta era a causa do problema. "Não há segredo sobre o motivo pelo qual atacamos pessoas como Gisele", confessou Ingrid Newkirk, uma das líderes da organização. "Gisele é uma modelo linda e famosa. As pessoas prestam atenção no que ela faz e imitam suas atitudes. Elas querem ser como ela. Assim, Gisele precisa ser lembrada que, se comete um erro horrível, se toma uma decisão cruel, haverá consequências tão frustrantes quanto a sua escolha."

O debate sobre o incidente no desfile da Victoria's Secret se estendeu por meses. Jornalistas e consultores de moda se perguntavam, com grande desapontamento, por que Gisele, dona de uma carreira tão bem articulada, permitiu que sua imagem fosse associada a algo tão malvisto e tão odiado por ecologistas e ambientalistas. Ela já se tornara uma lenda no mundo da moda pela maneira impecável como vinha conduzindo sua carreira. Um erro desses pareceu incompreensível. A pergunta óbvia era: como Gisele não previra que seu envolvimento com a Blackglama lhe traria um desgaste imenso se esse tipo de protesto já havia acontecido uma centena de vezes? Em outras palavras, como alguém tão inteligente pôde cometer um erro tão previsível?

Desafiando o mito

No início do inverno de 1996, as estações de metrô e ruas da Filadélfia ostentavam cartazes com um anúncio estranho. Um homem de ar sombrio e ponderado olhava por sobre um tabuleiro de xadrez. Abaixo de seu queixo, uma pequena pergunta: "Como você faz um computador piscar?". O homem que aparecia no cartaz tinha em torno de 30 anos. Seu nome era Garry Kasparov. Ele era o campeão mundial de xadrez. Para muitos, era o melhor jogador de xadrez de todos os tempos. O cartaz dizia que Kasparov enfrentaria o Deep Blue, um supercomputador desenvolvido pela IBM. A disputa estava marcada para fevereiro e aconteceria no majestoso Pennsylvania Convention Center, na Filadélfia.

Em todos os aspectos, a disputa entre Kasparov e o supercomputador Deep Blue foi um feito extraordinário. Desde o surgimento dos computadores, nos anos 1950, cientistas e engenheiros sentiam-se desafiados a criar um programa capaz de derrotar o ser humano num jogo de xadrez. Para chegar até o Deep Blue, a IBM realizou mais de quinze anos de pesquisas. O projeto não envolveu apenas especialistas em informática. Outras pessoas altamente qualificadas, como o *grandmaster*[1] Joel Benjamin, várias vezes campeão norte-americano, foram integradas à equipe ao longo do processo. Kasparov já havia enfrentado uma versão anterior do Deep Blue, o

---

[1] O título de *grandmaster* é dado a jogadores de xadrez pela FIDE (Fédération Internationale des Échecs), uma organização mundial de xadrez, e fica abaixo somente do título de campeão mundial.

Deep Thought, em 1989. Na época, Kasparov venceu com facilidade, mas, quase uma década depois, o Deep Blue era outra máquina. Sua configuração lhe permitia avaliar cem milhões de jogadas por segundo enquanto um jogador do nível de Kasparov necessita, em média, de quinze segundos para avaliar uma única jogada. Por isso, a disputa entre Kasparov e o Deep Blue tornou-se, talvez, a partida mais conhecida na história do xadrez.

Especialistas viam o confronto como algo muito além de uma simples disputa entre um homem e uma máquina, entendendo-o como um duelo entre dois tipos de inteligência. De um lado, Kasparov, com uma capacidade técnica muito inferior, mas com a extraordinária vantagem da complexidade enigmática da mente humana. Kasparov era um gênio capaz de navegar habilmente pelas posições mais inusitadas e mais intrincadas do tabuleiro, mas com medos, indecisões, angústias e tantos outros sentimentos que brotam da nossa psique desorientada. Do outro lado, estava o Deep Blue, um supercomputador, frio, ágil, voraz, com uma capacidade analítica milhares de vezes superior à de seu adversário, pronto para provar a superioridade da inteligência puramente racional da máquina.

Imagine que você está no auditório do centro de convenções minutos antes do início da partida. No auditório lotado, as pessoas fazem apostas. Você se anima a entrar no clima do jogo. Faltam alguns minutos para que a rodada de apostas seja encerrada. Rapidamente, você analisa as circunstâncias. De um lado, o Deep Blue, com seu currículo e seu potencial. Do outro lado, Kasparov. Em quem você apostaria?

Considerando que o Deep Blue é capaz de analisar 1,5 bilhão de jogadas enquanto Kasparov analisa apenas uma, a tentação maior seria apostar na máquina, correto? Porém, levando em conta o resultado do jogo, que Kasparov venceu, apesar de todas as vantagens aparentes do computador, esta teria sido a escolha errada. O que o induziu ao erro?

O ser humano tem uma inclinação natural a fazer escolhas segundo determinadas convicções preestabelecidas. No caso da aposta entre Kasparov e o Deep Blue, a opção pelo computador partiria do princípio inconsciente de que a inteligência é algo fixo e, por isso, mensurável. Na hora de fazer a escolha, nossa mente seguiu os passos dessa convicção: se o Deep Blue possui a capacidade de analisar 1,5 bilhão de jogadas enquanto Kasparov analisa apenas uma, a vantagem é do computador. A maior parte de nossas escolhas é feita dessa maneira, avaliando de forma racional o que vemos. O fato, porém, é que há um problema com esse tipo de análise: ela quase sempre nos induz ao erro.

Este é um erro que ocorre no nosso subconsciente, mas por que isso acontece? Incapaz de levar em conta todas as pequenas circunstâncias que envolvem o momento, nosso cérebro cria pontes entre as percepções mais evidentes. Ele usa essas pontes e atalhos para realizar análises rápidas e tomar decisões imediatas. O equívoco acontece quando as informações que temos estocadas na mente são incompletas ou insuficientes. No caso da aposta entre Kasparov e o Deep Blue, por exemplo, deixamos de analisar o fato de que o computador não pode fazer suposições, não pode definir prioridades, não pode supor problemas para os quais não tenha sido programado. Como consequência, ele não pode refletir sobre seu desempenho nem aprender com seus erros e com os erros do adversário. Em outras palavras, ele não tem consciência. Ele só pode atuar com base em informações e dados com os quais foi previamente alimentado por um operador.

Os jornalistas incorreram no mesmo equívoco quando se questionaram sobre como Gisele cometeu um erro tão previsível. Para fazer essa pergunta, eles partiram de uma interpretação aparentemente lógica e racional, mas que, no fundo, por se basear em premissas erradas, foi ilógica e irracional. Gisele é uma pessoa bem-sucedida e tem uma carreira impecável, pensaram eles. E, como o sucesso é resultado da inteligência, torna-se claro, então, que ela possui uma inteligência muito superior à da maioria das pessoas. Logo, possuindo uma inteligência muito superior, ela não deveria cometer os erros que a maioria comete. Isso parece lógico porque temos a convicção de que o sucesso está diretamente relacionado com a inteligência. É por isso que ficamos tão admirados quando uma pessoa bem-sucedida comete um deslize. Não nos surpreendemos, por exemplo, quando uma pessoa comum erra. Porém, não conseguimos compreender nem explicar os mesmos erros quando são cometidos por pessoas de sucesso. Se você perguntasse a Kasparov por que ele aceitou uma disputa tão desigual, sua primeira reação, possivelmente, seria discordar da desigualdade. Para concordar com a aparente vantagem do Deep Blue, Kasparov precisaria crer, como muitos de nós, que a inteligência é algo mensurável. Se ele realmente acreditasse nisso, teria sido absurdo aceitar o confronto.

 A diferença está no fato de que pessoas como Gisele e Kasparov, como todas as pessoas de sucesso, não fazem esse tipo de análise. Elas têm uma visão completamente diferente. Primeiro, elas sabem que não são mais inteligentes, espertas ou privilegiadas do que a maioria. Segundo, elas sabem que, ao longo do caminho, cometerão uma infinidade de erros. Aliás, elas sabem que muita coisa do que conquistaram só foi possível após longos anos de tentativas. E não poucas vezes essas tentativas as levaram ao erro. Mas elas não têm grandes problemas para lidar com isso porque sabem que não são e que nunca serão perfeitas. Elas são apenas autênticas. O desejo e a necessidade de perfeição se manifestam em nós quando não somos autênticos. Falamos amplamente sobre essa questão no capítulo anterior. Vimos que temos uma tendência impulsiva a criar uma imagem de perfeição sobre nós mesmos e a nos confundir com essa imagem. Pessoas felizes e bem-sucedidas seguem um caminho inverso. Veja, por exemplo, a atitude de Gisele diante do protesto da Peta. O que você acha que ela fez? Primeiro, ela assumiu a responsabilidade sobre o ocorrido. Depois, reconheceu seu erro e pediu desculpas. "Foi uma decisão errada da minha parte. Eu não uso roupas de pele e entendo perfeitamente a causa dos ativistas da Peta", disse ela.

 À primeira vista, isso pode soar como uma frase feita, o tipo de coisa que se diz para justificar uma situação complicada. Mas não é. Gisele foi sincera. Ela disse o que realmente sentia. Pessoas de sucesso não veem seus erros como partes de sua personalidade. Para elas, erros são situações ocasionais e até inevitáveis. Elas lidam com esses erros de forma autêntica, clara e espontânea e tiram o máximo de proveito das lições que eles oferecem. Enquanto muitos que estão na plateia ficam curiosos, esperando o mundo vir abaixo, pessoas bem-sucedidas saem de situações constrangedoras revigoradas e ainda mais fortes.

O erro de Terman

Tente imaginar como teria sido sua vida, se, quando tivesse 10 anos, um cientista de uma das universidades mais aclamadas do mundo visitasse sua escola para aplicar um teste de inteligência aos alunos e, ao analisar os resultados, constatasse que você pertence ao seleto grupo de pessoas que possui um QI superior a 140. Em outras palavras, esse cientista teria descoberto que você é literalmente um gênio e o teria recrutado para participar de um estudo. A partir daquele momento, um grupo de psicólogos e cientistas lhe daria toda a assistência que você pudesse imaginar. Você teria alguma dúvida de que sua vida estava inevitavelmente condicionada ao sucesso? Será que você poderia realmente ter certeza de seu sucesso sem se frustrar mais tarde? Até onde a falta de inteligência distingue pessoas comuns e pessoas bem-sucedidas?

O psicólogo americano Lewis Terman acreditava cegamente que, com exceção da moral, nada é tão importante num indivíduo quanto sua inteligência. A especialidade de Terman era elaborar testes de inteligência. Ele acreditava, de forma convicta, que o futuro dos Estados Unidos — assim como o futuro de qualquer outra nação — dependia de um único fator: descobrir as crianças mais brilhantes de cada geração e dar-lhes uma educação apropriada. "O futuro de um país depende em alto grau da educação das crianças mais bem dotadas intelectualmente", escreveu Terman. "Pessoas com habilidades medianas podem acompanhar os avanços, mas os gênios precisam abrir o caminho", disse ele. Em outras palavras, Terman tinha uma ideia aparentemente extraordinária.

Ele acreditava que identificar gênios ainda na infância e proporcionar-lhes uma educação adequada garantiria um futuro promissor para a nação.

Obcecado por essa ideia, ele iniciou um dos estudos de ciências sociais mais polêmicos de todos os tempos. Depois de arrecadar generosos recursos para financiar seu projeto, reuniu um grupo de pesquisadores e iniciou um programa conhecido como Estudo Genético dos Gênios de Terman. Sua meta era identificar o maior número possível de crianças superdotadas intelectualmente e acompanhar e orientar seus passos durante o resto de suas vidas. Durante um ano, Terman e sua equipe peregrinaram pelas escolas de ensino fundamental da Califórnia. Com a ajuda dos professores, separaram as crianças mais brilhantes, que foram submetidas a um teste para medir seu QI.

O coeficiente de inteligência é uma medida obtida por meio de testes que avaliam as capacidades cognitivas de uma pessoa em comparação à sua faixa etária. Um QI entre 90 e 109 indica um nível de inteligência médio. Entre 110 e 120, uma inteligência acima da média, mas essa pessoa ainda não é considerada um gênio. Para ser considerado um gênio é preciso ter um QI superior a 140. O QI de Einstein, por exemplo, era 160. Cientistas consideram que cerca de 70% da população possui um QI entre 85 e 115. Apenas 1% tem um QI superior ou igual a 136. Era essa minoria que interessava a Terman. No primeiro estágio, foram recrutadas crianças que faziam mais de 130 pontos no teste. Esse grupo era submetido a um segundo teste, e apenas quem possuía um coeficiente igual ou superior a 140 era escolhido.

Terman e sua equipe avaliaram 250 mil alunos de escolas de ensino fundamental e ensino médio na Califórnia. Desse total, 1.470 possuíam um QI acima de 140. Esse grupo de crianças superdotadas passou a ser conhecido como *termites* ou "os gênios de Terman". A equipe de pesquisadores coletou todos os dados de cada um deles. Pelo resto da vida, Terman rastreou, testou, mediu, analisou e orientou cada um desses estudantes. Não só isso: ele fazia questão de auxiliá-los pessoalmente em tudo o que era necessário. Quando eles se candidatavam a vagas em universidades, cursos ou empregos, Terman escrevia cartas de apresentação, dava referências, fornecia-lhes orientação e conselhos, e assim por diante. Cada detalhe era anotado em arquivos individuais para cada aluno. Terman estava convencido de que, quando adultos, seus gênios formariam a elite intelectual dos Estados Unidos.

Décadas depois, quando os gênios de Terman já tinham uma vida profissional definida, ele separou 735, a metade do total, e analisou com cuidado cada detalhe de seus currículos. No final da análise, separou-os em três grupos. No grupo A, incluiu aqueles que haviam atingido um sucesso considerável. Era um grupo composto por professores universitários, juízes, economistas, empresários bem-sucedidos e profissionais liberais reconhecidos. Esse grupo era formado por 20% dos currículos analisados. No grupo B, Terman colocou aqueles que alcançaram sucesso satisfatório, mas sem grande excepcionalidade. Eles possuíam rendimentos normais, com salários razoáveis, mas não tinham verdadeiras histórias de sucesso. Esse grupo era formado pela grande maioria, representando 60% dos currículos. Os outros 20% estavam no grupo C. Estes haviam atingido um nível entre razoável e ruim. Um terço não havia concluído a faculdade. Outros sequer ingressaram num curso superior. Boa parte estava desempregada e vivia dos benefícios da seguridade social.

Esses resultados frustraram Terman profundamente. Ele teve de admitir que toda a sua expectativa de que aquelas crianças, com sua genialidade, formariam a elite americana quando adultas foi um equívoco. Os resultados o obrigaram a aceitar que o nível de inteligência de uma criança, ou seu desempenho escolar, não é necessariamente um sinal de sucesso no futuro. O estudo tornou-se ainda mais perturbador se analisamos outro detalhe: entre as 1.470 crianças selecionadas por Terman não havia nenhum candidato à presidência dos Estados Unidos nem ao Prêmio Nobel. Do grupo de alunos rejeitados por terem um QI inferior a 140, saíram dois cientistas premiados com o Nobel em Física: William Shockley, em 1956, e Luiz Alvarez, em 1968. Anos mais tarde, ao analisar o Estudo Genético dos Gênios de Terman, o sociólogo Pitirim Sorokin, da Universidade de

Harvard, disse que os resultados finais seriam os mesmos se Terman e sua equipe tivessem selecionado essas crianças de modo aleatório, sem aplicar o teste de QI. "Não há nada em termos de imaginação ou de padrões de genialidade que mostre que o grupo de superdotados, como um todo, é superdotado", escreveu Sorokin.

Novos estudos reproduziram essa experiência com inúmeras variações, como um trabalho feito por George Vaillant com estudantes da Universidade de Harvard. Localizada às margens do rio Charles, em Cambridge, Massachusetts, Harvard é um dos lugares mais eminentes do mundo. Estudar ali é um privilégio de muito poucos. Muitas das figuras mais ilustres do mundo passaram por lá, e o mínimo que se espera de alguém graduado em Harvard é uma posição de distinção na vida. Na década de 1940, Vaillant escolheu 95 alunos de Harvard com idades entre 17 e 18 anos. Ao longo dos vinte anos seguintes, ele acompanhou a vida de cada um deles e analisou seus salários, produtividade, status social e desempenho em seu campo de atuação. O objetivo da pesquisa era descobrir se um excelente desempenho numa das universidades mais conceituadas do mundo era sinônimo de sucesso.

O que Vaillant descobriu não é muito diferente dos resultados obtidos por Terman. Os estudantes que tiveram as melhores notas na universidade não foram, necessariamente, aqueles que se saíram melhor em seus campos. Eles também não tiveram uma vida mais satisfatória nem mais bem-sucedida no âmbito privado. Suas relações com amigos, família e cônjuge não eram melhores do que as dos colegas que tiveram um desempenho inferior.

Outro estudo similar, realizado em Michigan, também apresentou resultados similares. Nesse caso, uma equipe selecionou 450 meninos, entre os quais um terço tinha um QI inferior a 90. Os demais possuíam QI superior ou igual a 100. A equipe acompanhou esses meninos até a vida adulta. Décadas depois, quando compararam o desempenho daqueles que tinham um QI inferior a 90 aos demais, perceberam pouca diferença. Em determinado período da vida adulta, por exemplo, cerca de 7% dos que possuíam um

QI menor do que 90 estavam desempregados. Entre os que tinham QI acima de 100, o mesmo percentual, 7%, estava na mesma condição.

Onde, então, estava o erro de Terman? O que a história dos gênios de Terman ensina sobre o sucesso? Ela deixa claro que a ideia de que a inteligência pode ser traduzida num número fixo, num coeficiente, é falsa. Outro erro, ainda maior, é acreditar que esse coeficiente é determinante no sucesso das pessoas. A história de Kasparov, que vimos no início deste capítulo, já provou que a inteligência não pode ser captada nem transformada em número. O sucesso nunca resulta de uma simples análise comparativa, não importando um QI de 150 contra um QI de 90 ou uma máquina com a capacidade de avaliar 100 milhões de situações em um segundo contra um ser humano capaz de avaliar uma única situação em quinze segundos.

No entanto, esse erro é muito mais comum do que imaginamos. Temos uma tendência a interpretar a inteligência como uma simples determinação racional e lógica, mas ela não é. Kasparov, por exemplo, apesar de ter uma capacidade analítica muito inferior ao Deep Blue, criou uma ampla vantagem com sua capacidade de aprender com seus erros e acertos. Kasparov possui a habilidade de adaptar-se rapidamente às circunstâncias, a flexibilidade necessária para interpretar o meio que o cerca. O Deep Blue, ao contrário, não tem um sistema de aprendizado. Sua capacidade é fixa, estática. Ele não aprende ao longo do processo. Ele não tem condições de reconhecer seus erros e, por isso, não pode aprender com eles. Esta é a lição que a história de Kasparov nos ensina: o sucesso não está na quantidade de inteligência que temos, mas em como a utilizamos. Essa diferença é crítica na compreensão do sucesso.

Um conceito novo

Por mais contundentes que as conclusões desses estudos tenham sido, elas ainda não alteraram a base do modo como compreendemos o sucesso. Essa é uma coisa óbvia que insistimos em ignorar.

Temos uma tendência a acreditar que a inteligência distingue, em grande parte, os poucos que vencem na vida e a grande massa que fracassa. Ao longo dos anos, essa convicção emudeceu qualquer posição contrária e se petrificou em nós. Mesmo provando o contrário, por meio de estudos e análises, essa convicção não desaparece.

Quase um século depois dos estudos de Terman, que provaram que tudo o que se pensava sobre inteligência não é verdade, ainda estamos convencidos de que apenas os superdotados possuem potencial para superar os obstáculos necessários e alcançar o sucesso. Que outra explicação nós temos? No nosso inconsciente, essa falsa noção nunca nos abandonou.

Se quisermos sair desse paradoxo, convém examinar mais de perto a maneira como nos relacionamos com conceitos sobre inteligência e tentar alcançar uma compreensão que nos permita estabelecer com mais nitidez as condições para usar nossa inteligência de modo mais adequado. Se quisermos compreender os fatores fundamentais que envolvem o sucesso, o primeiro passo é descobrir qual é a nossa concepção sobre a inteligência. Até agora, no breve esboço feito neste capítulo, vimos de forma clara que não é o grau de inteligência que leva ao sucesso.

Anos atrás, um grupo de psicólogos liderado por Carol Dweck decidiu realizar um estudo sobre a influência da maneira como concebemos a inteligência. Primeiro, eles precisavam saber como os alunos percebiam a inteligência. Para isso, propuseram duas alternativas:

> **Alternativa 1:** A inteligência é vista como algo fixo e preestabelecido. Sob esse ponto de vista, todos têm determinado grau de inteligência. Alguns, que tiveram mais sorte, nasceram com muita inteligência. Outros, menos afortunados, nasceram com pouca inteligência.
>
> **Alternativa 2:** A inteligência pode ser desenvolvida ao longo da vida. Isso não quer dizer que todo mundo é igual, mas que a inteligência é um potencial a ser desenvolvido por qualquer pessoa. A inteligência não é um dom. Ela pode ser produzida por meio de

> trabalho árduo, enfrentando desafios e lutando para aprender. É a convicção de que os desafios são exatamente os momentos que nos permitem criar alternativas e desenvolver nossa inteligência.

Em seguida, cada aluno teve de escolher a alternativa que mais combinava com sua visão pessoal. Depois, os pesquisadores separaram os entrevistados em dois grupos. No primeiro, colocaram aqueles que viam a inteligência como algo fixo. No segundo, aqueles que a viam como algo maleável, capaz de ser desenvolvido.

Nos dias seguintes, a equipe simulou vários cenários em que os estudantes se viam diante de intensas frustrações e fracassos. Depois, compararam a atitude dos dois grupos. O resultado foi que cada um lidava com a situação de maneira muito distinta. Para os alunos que defendiam a inteligência como algo fixo, o fracasso era considerado um sinônimo de ignorância. A derrota era dolorosa e confusa. O insucesso era visto como uma mostra de inferioridade intelectual. Eles se consideraram tolos e fracassados e sentiram-se devastados. Independentemente dos resultados positivos alcançados antes, consideravam-se incapazes de ter êxito no futuro. E, diante da situação, disseram que desistiriam das suas metas. Eles perderam a fé e se fecharam.

Os outros, que viam a inteligência como um fator maleável, também confessaram certa insatisfação e desapontamento com os resultados negativos, mas apresentaram uma reação muito diferente. Em vez de condenar seu grau de inteligência, eles condenaram sua preparação para o desafio. Eles disseram que se esforçariam para identificar os motivos pelos quais falharam e que pensariam numa forma de superar o fracasso inicial. Para estes, o fracasso revelou detalhes sobre o nível de preparo, a falta de eficácia de suas estratégias e seu esforço. A derrota era algo temporário. A circunstância apenas lhes dizia que, se quisessem ter sucesso, era preciso fazer alguma coisa diferente no futuro, e esta, confessaram, passaria a ser sua meta.

O paradoxo da inteligência

O que o estudo da equipe de Dweck nos ensina? Ele revela um dos conceitos mais fascinantes na compreensão dos padrões comportamentais que diferenciam as pessoas em termos de sucesso: não é a inteligência, mas a maneira como você vê a inteligência que realmente interessa. Essa capacidade de discernimento é essencial em todos os domínios da vida. Por mais elevado que seja o seu QI, se você acreditar que a inteligência é algo fixo, cada vez que cometer um erro chegará à conclusão inevitável de que não é tão inteligente assim e acabará desistindo de sua meta muito antes do tempo. Por outro lado, se você acredita que a inteligência pode ser desenvolvida, se focará num plano de longo prazo, consciente, de antemão, que ninguém é perfeito e que não precisamos da perfeição para realizar nosso propósito. Você passará a compreender que cometer deslizes é normal e, muitas vezes, edificante. Nesse caso, temos a capacidade de admitir nossos erros e retomar nosso caminho.

Nessas duas definições existem também pistas significativas para compreender por que pessoas com um baixo QI podem conseguir resultados muito mais positivos do que seus colegas com QI mais alto. Basicamente, podemos identificar três tipos de implicações.

A primeira implicação é que quando pensamos na inteligência como algo preestabelecido não temos um modo adequado para medir nossa inteligência. Nesse caso, olhamos em torno em busca de referências. Concentramo-nos em cada ato particular, exigindo sucesso absoluto em cada ação para provar nossa inteligência. Qualquer deslize irá contra a imagem de perfeição com a qual nós nos definimos. Por isso, vivemos num constante estado de insegurança. A insegurança é baseada num conceito ou numa crença de incapacidade. Se você acha que não está à altura do que lhe é exigido, sente-se inseguro.

A segunda implicação é a ideia de que, se você é perfeito e superior aos demais, não há necessidade de lutar, nem mesmo de tentar. Se tentar alcançar uma meta e não conseguir, o fracasso poderá provar que você não é perfeito nem superior. Então, é melhor nem tentar. Essa implicação impede nosso crescimento em todos os sentidos.

A terceira implicação é negar nossa responsabilidade. Quando a negamos, tentamos proteger nossa imagem da exposição, da dor e da humilhação. Cometer erros é profundamente doloroso para a pessoa que se projeta mentalmente como perfeita. Ela finge ser perfeita em tudo o que faz e teme que erros ofusquem sua imagem de perfeição. Se admitirmos um erro, nossa imagem de perfeição, nosso eu virtual, sucumbirá. Nesse caso, assumir a responsabilidade sobre um erro é uma questão de vida ou morte.

A teoria de Gardner

Estudos recentes revelaram que o QI contribui, no máximo, em cerca de 20% para o sucesso que alguém terá na vida, o que deixa 80% a ser determinado por outros fatores. Isso nos diz que um ser humano é muito mais do que sua herança genética ou sua mera capacidade de analisar dados propostos. "Se Hitler fosse clonado e distribuído pelos Estados Unidos, provavelmente teríamos alguns cidadãos de primeira", ironizou Clement Markert, um respeitado professor de genética da Universidade de Yale. Se a herança genética não é tudo, se o QI responde por apenas 20% do sucesso, quais são os demais fatores que contribuem para uma vida bem-sucedida?

Howard Gardner, especialista em educação da Universidade de Harvard, afirmou que há centenas de maneiras de ser bem-sucedido. Há muitas aptidões que ajudam as pessoas a chegarem a essa meta. Ele argumentou que existem no mínimo oito campos distintos de inteligência e que praticamente todas as pessoas têm um nível de genialidade em pelo menos um segmento desses campos. Isso quer dizer, claramente, que você é um gênio e que basta descobrir em que campo está essa genialidade e desenvolvê-la.

Para descobrir e desenvolver nossa genialidade, Gardner propôs mudanças radicais no sistema de ensino, alterando o papel da escola na educação das crianças. Ele defende a ideia de que a contribuição mais importante que a escola pode dar para o desenvolvimento cognitivo de uma criança é ajudá-la a encaminhar-se para o campo no qual seus talentos se adaptam melhor, em que ela se sinta feliz, realizada e competente. "Perdemos isso completamente de vista", argumentou. "Em vez de fazermos isso, sujeitamos todos a uma educação em que, se você for bem-sucedido, estará mais capacitado para ser um professor universitário. E avaliamos todos, ao longo do percurso, pelo modo como respondem a essa estreita noção de sucesso. Deveríamos gastar menos tempo classificando crianças e mais tempo ajudando-as a identificar suas aptidões e seus dons naturais e a cultivá-los."

Minha intenção não é afirmar que uma educação formal não tem importância na vida das pessoas. Isso está fora de questão. O que estou afirmando é que continuamos fingindo que o sucesso é uma questão hereditária e que apenas as pessoas que nasceram com uma capacidade extraordinária e com oportunidades reais de desenvolver essa capacidade atingem o sucesso. Os exemplos estudados até aqui provam que isso não é verdade. Portanto, estou tentando convencê-lo a refletir com mais atenção sobre esse assunto.

Se você analisar a questão mais de perto, verá que a inteligência ou o desempenho na escola teve pouca influência nos resultados práticos das pessoas que alcançaram um sucesso extraordinário. Gisele Bündchen é uma prova disso. Vimos também que Einstein teve sérios problemas ao longo de sua vida acadêmica. E o que dizer de Sylvester Stallone? Outro exemplo claro é o da escritora Elizabeth Gilbert. Veja como ela entende o papel da escola em sua formação como escritora:

> Frequentei algumas aulas de redação quando estudava na Universidade de Nova York, mas senti que não queria praticar esse tipo de experiência numa sala de aula. Eu não estava convicta de que uma

> sala de aula seria o melhor lugar para descobrir minha própria voz. Então, fiz tudo por conta própria.

Aos 19 anos, Elizabeth começou a enviar histórias para agentes e editoras. Durante mais de dez anos, só recebeu indiferença. Mas ela não desistiu. Mesmo não obtendo resultados positivos, manteve a disciplina e a determinação em relação ao seu propósito. "Eu me tornei uma escritora da mesma forma como outras pessoas se tornam monges. Eu assumi um compromisso com a literatura e construí minha vida em torno dela. Eu não sabia como fazê-lo de outra forma. Não conhecia nenhum escritor. Eu não tinha ideia do que era necessário para viver de literatura. Eu apenas escrevia", contou ela.

Essas são histórias de pessoas comuns. Elas não tinham nenhum recurso ou traço de caráter que lhes desse uma vantagem excepcional na busca por uma vida melhor. Seu sucesso é uma questão de mérito pessoal. Todas elas apresentam padrões muito óbvios, tão óbvios que não nos permitimos levá-los a sério e acabamos ignorando-os completamente. Se você ainda tem dúvidas, faça um teste com você mesmo. Pense sobre aquela chama que ardia em você durante a infância. Imagine que você tivesse desenvolvido essa chama ao longo dos anos. Será que você não seria altamente eficiente, produtivo e bem-sucedido nesse campo? Pense sobre aquilo em que você tem talento, que ama fazer... Se tivesse se especializado nesse campo, não teria uma vida cheia de sucesso e felicidade?

A única lição de Warren Buffett

Todos os anos, a revista *Forbes* publica uma lista com os nomes das quatrocentas pessoas mais ricas dos Estados Unidos. De ano para ano, os nomes mudam de posição. Uns se movimentam para cima; outros, para baixo. Warren Buffet nunca se afastou muito do topo da lista. Há décadas, seu nome aparece entre os cinco primeiros. Sua fortuna ultrapassa 65 bilhões de dólares. Ele começou sua carreira em 1956, quando abriu uma sociedade com um investimento de parcos cem dólares. Treze anos depois, seu capital líquido era de 25 milhões de dólares. Em 2007, seu capital estava estimado em 52 bilhões de dólares.

Não é fácil descrever uma pessoa como Warren Buffett. Apesar de ser um dos homens mais ricos do mundo, ele é famoso por levar uma vida frugal e despretensiosa. Aos 79 anos, parece ter a mesma energia que tinha no início da carreira. Ainda mora na primeira casa que adquiriu e doou a maior parte de sua fortuna para instituições de caridade. Nos negócios, ele é considerado um gênio. No dia a dia, é simples, direto e honesto. Frequentemente, afirma que qualquer pessoa é capaz de fazer o que ele fez. "Não precisamos ser mais inteligentes do que todos os outros. Precisamos apenas ser mais disciplinados", disse ele à sua equipe em 2002.

Alguns anos atrás, ele deu uma palestra durante um seminário na Universidade de Nebraska, seu estado natal. Nessa fala, tentou convencer os estudantes de que o sucesso não é algo místico, complicado, e de que não é verdade que apenas pessoas com uma inteligência extraordinária são capazes de alcançá-lo. "Não sou diferente de nenhum de vocês", disse ele. Os estudantes caíram na gargalhada. "Estou falando sério", insistiu. Os alunos voltaram a rir. Warren Buffet continuou: "Posso ter mais dinheiro, mas não é o dinheiro que faz a diferença. É evidente que, se quiser, posso comprar um terno de um estilista famoso, feito para mim sob medida, e isso não faria nenhuma diferença na minha conta bancária. Mas eu não me importo muito com isso... Acreditem: prefiro um cheeseburger do Dairy Queen [rede de *fast-food* americana], a uma refeição de cem dólares". Aos poucos, os alunos passaram a olhá-lo com um ar pasmo. Buffet prosseguiu: "Se há uma diferença entre mim e qualquer um de vocês, talvez ela esteja no fato de que eu me levanto todos os dias e tenho a oportunidade de fazer aquilo de que gosto. Aliás, se tenho uma coisa a ensinar para vocês, é isso. Este é o melhor conselho que posso dar".

Warren Buffet, nessa fala curta, confirma as duas principais lições abordadas neste capítulo. A primeira lição é que as pessoas que realizam coisas extraordinárias não são diferentes da maioria. A segunda lição é que a diferença está em fazerem o que gostam. Dito de forma simples assim, pode até ser difícil de acreditar, mas esse é apenas mais um dos princípios óbvios que ignoramos. Aliás, você já se perguntou por que temos tanta dificuldade em aceitar que, em termos gerais, somos iguais às pessoas que admiramos, mesmo que elas insistam em dizer que não há diferença alguma entre nós? Basicamente, duas razões respondem a essa pergunta. A primeira é a tendência de, mesmo inconscientemente, ver nas pessoas uma imagem virtual que criamos sobre elas. Afinal, é assim que vemos a nós mesmos. A segunda é a crença de que pessoas inteligentes não precisam fazer nenhum esforço para conseguir resultados extraordinários. Olhamos para essas pessoas bem-sucedidas e pensamos que para elas tudo foi muito simples. Acreditamos que nasceram com a ampla vantagem de ser mais inteligentes.

Qual é a primeira coisa que nos vem à mente quando vemos uma pessoa bem-sucedida? Se fazemos análises superficiais, criamos uma justificativa para seu sucesso. Em compensação, nós nos defendemos e buscamos uma série de desculpas que nos isente de qualquer culpa por um fracasso. Em outras palavras, caímos na armadilha do paradoxo da inteligência: acreditando que a inteligência é algo fixo, não temos a disposição de tomar as medidas necessárias para remediar nossas deficiências. Ficamos tão preocupados em aparentar uma falsa perfeição que agimos de maneira boba, renunciando a oportunidades de aprender e de desenvolver nossa inteligência.

CAPÍTULO 7

O PODER DAS CONVICÇÕES

Por que é tão difícil mudar mesmo quando colecionamos erros e como podemos alterar esse quadro?

Joshua Bell é uma das maiores celebridades da música clássica contemporânea. Muitos críticos o consideram o melhor violinista da sua geração. Revistas especializadas se referem a ele como virtuoso e prodígio. Em fevereiro de 2010, ele fez um show no Carnegie Hall, em Nova York. Nos dias que antecederam o evento, ingressos foram vendidos a trezentos dólares cada. Joshua Bell é uma das poucas pessoas no mundo que possuem um violino Stradivarius. Pagou 3,5 milhões de dólares pelo instrumento. Ele possui trinta álbuns gravados e já recebeu muitos prêmios, entre eles, um Grammy e um Emmy. Sua interpretação em *O violino vermelho* contribuiu para que o filme recebesse o Oscar de melhor trilha sonora original.

Joshua Bell é alto e bonito. Alguns anos atrás, a revista *People* o elegeu uma das cinquenta pessoas mais bonitas do mundo. Sua beleza e sua genialidade fazem com que ele seja chamado para muitas entrevistas em programas de televisão. Ele também aparece em inúmeros comerciais de marcas famosas. Tudo isso tornou Bell uma estrela de primeira grandeza conhecida em todo mundo, mas principalmente nos Estados Unidos, sua terra natal. Levando isso em consideração, o que se esperaria de uma apresentação numa estação de metrô seria um público histérico e incontrolável, mas, dependendo das circunstâncias, o resultado poderia ser exatamente o contrário.

Em janeiro de 2007, Joshua Bell aceitou tocar numa estação de metrô de Washington D.C. A ideia foi do crítico de música Gene Weingarten, do jornal *Washington Post*. Weingarten queria ver quantas pessoas reconheceriam o violinista e até mesmo quem dedicaria alguns minutos de atenção ao reconhecer a qualidade da música que estava sendo tocada ali. Para não estragar a surpresa, a organização do evento foi mantida em sigilo absoluto.

No dia combinado, uma manhã de sexta-feira, Bell chegou cedo à estação L'Enfant Plaza. Ele vestia calça jeans e camiseta preta. Na cabeça, um boné de um time de beisebol de Washington. Assim que chegou ao saguão da estação, aconchegou-se junto à parede, ao lado de uma lixeira, onde os artistas de rua costumam se apresentar. De uma pequena caixa, tirou seu Stradivarius. Depois, colocou a caixa vazia aberta diante de seus pés. Pôs a mão no bolso, tirou algumas moedas e notas de um dólar e jogou-as na caixa. Em seguida, começou a tocar. Era por volta de oito horas da manhã, um dos momentos mais movimentados do dia naquela estação. Bell tocou seu Stradivarius durante 45 minutos e foi praticamente ignorado todo o tempo.

Cerca de 2 mil pessoas passaram por ele. Pouquíssimas lhe deram atenção e quase ninguém parou para ouvi-lo. Ali estava um dos maiores violinistas do mundo, tocando um violino que vale 3,5 milhões dólares, interpretando com perfeição os maiores músicos da história, e, mesmo assim, passando despercebido. Em quase uma hora, num país acostumado a dar gorjeta, Bell não recebeu mais do que trinta dólares. "Era uma sensação estranha ver as pessoas me ignorando", disse ele depois para Weingarten. A estação L'Enfant fica no centro da capital americana. A maioria dos transeuntes trabalha para o governo; são pessoas de classe média. Muitas, certamente, em algum momento da vida, haviam desembolsado mais de cem dólares para assistir a um show igual ou inferior às apresentações de Joshua Bell. Ali, porém, o ignoraram. Como isso se explica?

Nossas escolhas involuntárias

O talento de Bell não diminuiu por estar tocando numa estação de metrô. Seu charme continuou o mesmo. Sua música também não era diferente daquela que ele toca nos palcos. Qual foi, então, o fator que fez com que ele passasse despercebido? A resposta está nas nossas convicções. Uma convicção é uma certeza obtida por fatos ou razões que não deixam dúvida nem dão lugar a objeção. Essa opinião firme configura um modelo, um padrão, uma persuasão íntima que passa a fazer parte dos princípios que conduzem nossas ações. Elas são o piloto automático que dirige nossas vidas.

    Pense, por um momento, nas vezes que você viu alguém tocando um instrumento numa estação de metrô, rodoviária, praça ou mesmo em calçadões públicos? O que você pensou sobre essas pessoas? Sabemos muito bem, por experiência, que um músico que se apresenta nesses locais não é um bom músico. Pelo menos, não é extraordinário. Se fosse, não estaria se apresentando num local público em troca de gorjetas. Por isso, na maioria das vezes, ignoramos esse tipo de apresentação. Foi por essa razão que ninguém deu grande atenção à apresentação de Bell. Se vemos alguém cantando uma música do Bono numa estação de metrô, sabemos, imediatamente, que não é o Bono. Ele não se apresenta nesses locais. Nós estamos convictos de que é assim e de que sempre será assim. Mas, muitas vezes, nós nos enganamos.

    A experiência com Joshua Bell revela um fator fundamental para a compreensão do sucesso. Observe que, ao cruzarem com Bell, as pessoas tinham uma escolha a fazer: parar para ouvir o músico ou ignorá-lo. Aparentemente, é uma escolha muito simples e sem grande importância; porém, o mesmo processo que usamos para fazer essa escolha, ou seja, o processo guiado pelas nossas convicções, é usado para fazermos a grande maioria de nossas escolhas ao longo da vida. Logo, se as escolhas definem nossos resultados e se as convicções definem nossas escolhas, somos, na verdade, o resultado de nossas convicções.

Por isso, nossas convicções têm uma importância extraordinária na nossa relação com o sucesso. Elas impedem que percebamos a realidade como ela é, e, por consequência, impedem que mudemos o curso de nossa vida. Por tudo isso, a influência que as convicções exercem em nossa vida é muito mais intensa e profunda do que poderíamos imaginar. Sua ação se estende por todos os campos do conhecimento, até mesmo em áreas mais avançadas como a medicina e a ciência.

O Nobel que não tinha jeito de cientista

Até 1980, os médicos tinham certeza de que a úlcera gastrointestinal era causada por estresse, cigarro, bebida alcoólica, consumo excessivo de alimentos picantes e, em certos casos, pela própria herança genética. A cura era quase impossível, exceto com complicadas cirurgias que nem sempre tinham o resultado esperado. Pacientes com úlceras viviam atormentados. Os dois medicamentos mais usados no tratamento, Tagamet e Zantac, não curavam as feridas e apenas amenizavam seus sintomas. O tratamento era vitalício. As companhias que fabricavam os dois remédios faturavam bilhões de dólares por ano. Os pacientes que optavam pela cirurgia, que exigia a remoção de até um terço do estômago, sofriam, na maioria das vezes, sérias consequências colaterais. Úlceras gastrointestinais eram um verdadeiro pesadelo na vida de uma em cada dez pessoas no mundo.

No início da década de 1980, dois médicos australianos, Barry Marshall e Robin Warren, anunciaram algo atordoante, garantindo que nada do que se sabia sobre a origem das úlceras era verdade. Os dois estavam convencidos de que o surgimento das feridas não tinha nada a ver com fumo, pimenta, álcool ou estresse. Úlceras, segundo eles, eram causadas por uma bactéria: *Helicobacter pylori* ou *H. pylori*.

Imagine o significado dessa descoberta. Se úlceras eram mesmo causadas por bactérias, sua cura, antes impossível, agora poderia ser obtida em dias com um simples tratamento à base de antibióticos. Isso teria um impacto positivo e imediato na vida de milhões de pessoas, mas, por um estranho motivo, Marshall e Warren se tornaram motivo de chacota no meio científico. Por mais que os dois médicos se esforçassem para apresentar provas de suas conclusões, ninguém acreditava. A descoberta foi simplesmente ignorada.

Marshall e Warren estavam indignados e elaboraram um minucioso artigo para tentar chamar a atenção dos médicos e cientistas. Nesse relatório, colocaram exemplos e esmiuçaram suas teses, indo muito além do necessário. Mesmo assim, a resposta dos colegas continuava sendo frustrante. Até mesmo a imprensa especializada, que vive à procura de novas descobertas, mostrou-se incrédula. O ceticismo era tanto que nenhuma publicação especializada aceitou o artigo. Quando Marshall apresentou a tese numa conferência, os médicos simplesmente saíram da sala.

Mesmo após curar pacientes com gastrite pela primeira vez na história, Marshall sentia que a rejeição à sua teoria bloqueava qualquer avanço. "As coisas iam muito mal. O extremo ceticismo dos meus colegas me fez crer que eu nunca receberia apoio para fazer qualquer teste com antibióticos para curar a doença", contou ele. Em 1984, no entanto, ele decidiu dar um jeito na situação.

Certa manhã, Marshall foi cedo ao laboratório, deixou sua bandeja com uma refeição intocada sobre a mesa, chamou um grupo de colegas e levou-os até sua sala. Diante de uma pequena multidão incrédula e horrorizada, bebeu um líquido com cerca de 1 bilhão de bactérias *H. pylori*. Em seguida, apresentou o resultado de uma série de exames que havia feito. No dia anterior, ele havia passado por uma endoscopia. Seu estômago e seus intestinos estavam sadios. Se sua teoria de que úlceras são causadas por bactérias era verdadeira, então em poucos dias ele deveria desenvolver uma úlcera.

Nos três dias seguintes, nada aconteceu. Após uma semana, porém, as reações começaram a aparecer. Seu estômago ardia. Sentia náusea e vômitos — sintomas clássicos de gastrite, estágio anterior à úlcera. No décimo dia, Marshall realizou uma nova endoscopia. A suspeita se confirmou: seu estômago, antes sadio, agora estava infeccionado, coberto por enormes feridas vermelhas. Marshall estava com gastrite. Havia sido infectado com o *H. pylori*. Era o momento de comprovar a segunda etapa de sua tese: que o *H. pylori* podia ser combatido com antibióticos. Foi exatamente o que ele fez, e, em poucos dias, seu estômago estava sadio outra vez.

Mesmo assim, a luta não tinha chegado ao fim. Marshall havia cometido um erro. Acreditando que sua experiência já comprovara a tese, ele curou a gastrite antes que se tornasse uma úlcera. Mesmo sabendo que os sintomas que apresentara eram de úlcera, nada garantia aos céticos que o mesmo processo curaria úlceras em si. Contudo, a experiência de Marshall começou a quebrar o paradigma entre muitos médicos. Pouco a pouco, ele conseguiu aliados. Em 1994, dez anos depois, o National Institutes of Health, organização que engloba todos os departamentos de saúde dos Estados Unidos, finalmente endossou a ideia que os antibióticos eram o tratamento ideal para esse tipo de doença. No outono de 2005, Marshall e Warren receberam o Prêmio Nobel de Medicina pela descoberta.

Por que Marshall e Warren tiveram tanta dificuldade em convencer seus colegas sobre suas descobertas? Onde estava a capacidade de discernimento do meio científico, do qual se espera que pense de maneira extremamente racional? O que a experiência de Marshall e Warren nos mostra é que eles, como qualquer um de nós, possuem a mesma inabilidade de articular um ponto de vista novo. Cientistas normalmente estão à procura de ideias novas e, por isso, deveriam ser suscetíveis a elas, mas a história que vimos revela exatamente o contrário.

Observe que os médicos e cientistas que analisaram a tese de Marshall eram capazes de enumerar, de forma precisa, os motivos pelos quais acreditavam que ela estava errada, mas não eram capazes de perceber que estavam agindo de acordo com um sistema de padrões que os amarrava ao conhecimento anterior. O que isso nos ensina? A resposta torna-se óbvia quando pensamos um pouco a respeito. O problema não era a úlcera em si, mas as convicções

O PODER DAS CONVICÇÕES

que se tinha sobre ela. Quando Warren e Marshall descobriram a *H. pylori*, médicos e cientistas não estavam procurando uma causa para úlceras. Eles já sabiam o que as causava. Esse território já estava ocupado pela convicção de que cigarro, álcool, pimenta e estresse eram a causa desse mal.

Assim como os transeuntes da estação de metrô de Washington D.C. tinham convicções que os levaram a ignorar Joshua Bell, os médicos e cientistas também tinham convicções que os levaram a ignorar, por anos, as descobertas de Warren e Marshall. A primeira convicção partia do princípio de que o ácido estomacal é uma coisa potente, com capacidade para deteriorar um pedaço de carne e força suficiente para dissolver um plástico. Era impossível pensar que uma simples bactéria poderia sobreviver nas paredes do estômago. A segunda convicção dizia respeito ao local de origem da descoberta. Warren era um patologista no hospital de Perth, na Austrália. Marshall estava fazendo residência nesse hospital. Ele tinha apenas 30 anos. Sabemos, por experiência, que descobertas são feitas por cientistas célebres em universidades renomadas. Residentes não fazem descobertas que curam doenças que há séculos afetam mais de 10% da população.

No mundo científico, coisas como o laboratório onde um cientista trabalha, onde ele estudou e quantos anos ele tem são muito importantes. Assim como Joshua Bell foi ignorado porque se apresentava numa estação de metrô, as descobertas de Marshall e Warren foram ignoradas porque vinham de um local desconhecido para o mundo científico. Cientistas e a imprensa especializada olharam para o currículo dos dois, e, com base em suas convicções, pensaram: "Isso não faz sentido", "Não é assim que as coisas funcionam" e "Esse processo precisa ser mais complicado do que algo ao alcance de um residente em medicina". Se fosse simples assim, alguém o teria descoberto antes. Um pesquisador, por exemplo, ao ouvir a explicação de Marshall, disse que ele nem mesmo tinha jeito de cientista. De onde vem uma conclusão como essa? Da nossa convicção de que um cientista precisa ter um jeito, adequar-se a um modelo.

Os mecanismos de referência

Para entender como as nossas convicções interferem nas nossas escolhas, precisamos voltar ao capítulo anterior, em que afirmei que o cérebro constrói pontes que usa como atalhos para tomar decisões rápidas. Vamos relembrar o que isso significa? Quando nos deparamos com determinados problemas e perigos, o cérebro reage de maneira inconsciente a padrões mentais preestabelecidos, que usa como mecanismos de referência para tomar decisões imediatas. Por serem inconscientes, acreditamos que são resultado dos nossos instintos. Mas eles não são.

Suponha, por exemplo, que você esteja percorrendo uma trilha ecológica no Pantanal. De repente, você vê uma onça. Ela está a poucos metros de você. O que você faz? Com certeza, não parará para raciocinar e, só depois de avaliar todas as opções possíveis, tomará uma decisão sobre o que fazer. Sua reação será instantânea e automática. Nesse caso, não decidimos que emoção sentir. O medo não é uma escolha. Ele se manifesta em nós por conta própria. Por que isso ocorre? Quem toma essa decisão?

Se uma criança de 2 anos visse uma onça no quintal, qual seria sua reação? Sem saber que o animal representa uma ameaça, possivelmente o ignoraria. Se essa criança tivesse alguma familiaridade com gatos, possivelmente iria ao encontro da onça. Esse exemplo simples anula a teoria de que nascemos com instintos naturais de defesa como o medo. A verdade é que não nascemos com um *chip* de autodefesa instalado no cérebro. Pelo contrário, criamos nosso instinto de defesa ao longo dos anos. A partir de crenças e convenções assimiladas com nossa experiência pessoal, elaboramos um sistema de conceitos preestabelecidos que servirão de caminho para nossas reações. Esses sistemas, formados pelas nossas convicções, são aceitos, na maior parte das vezes, de maneira inconsciente e inquestionável e, por isso, permanecem enraizados em nós, muitas vezes por uma vida inteira. E, o que é mais intrigante, eles se tornam os pontos de referência que o cérebro usa como atalhos para tomar decisões rápidas.

Acessando nossas convicções, o cérebro é capaz de processar um oceano de informações de maneira instantânea, sem ser percebido pela mente consciente. Quando as pessoas se depararam com Joshua Bell na estação de metrô, por exemplo, o cérebro não fez nenhum questionamento consciente. Ele apenas acessou inconscientemente as convicções existentes e tomou uma decisão. Nesse caso, a convicção é que pessoas que se apresentam em estações de metrô não são extraordinárias e não merecem atenção maior.

Esse mecanismo cerebral é muito eficiente e fundamental para nossa sobrevivência. Imagine se, diante de uma onça, tivéssemos de avaliar todas as opções possíveis antes de fazer uma escolha. Nossa espécie simplesmente não teria sobrevivido. Se todas as nossas decisões fossem tão lentas quanto nossas decisões conscientes, não conseguiríamos nem mesmo levantar da cama pela manhã. O problema é que, uma vez que as convicções estão formadas, é muito difícil escapar de sua influência.

Os benefícios da introspecção

Suponha que você vá até um caixa eletrônico, passe seu cartão magnético, e, por algum tipo de mágica, em vez de um extrato com suas movimentações financeiras, obtenha um extrato contendo todas as suas convicções, suas crenças sobre dinheiro, sucesso, felicidade, valores, potencial, capacidade de relacionamento, e assim por diante. Agora, seja honesto com você mesmo: O que constaria nesse extrato? Que imagem formariam todas as convicções que apareceriam nele? De uma pessoa otimista ou pessimista? De um vencedor ou um perdedor? Em que tipo de inteligência você acredita: na fixa ou na maleável? Que imagem você tem de si mesmo?

Seja a imagem que for, o que você precisa saber é que, em termos gerais, é essa imagem que controla suas ações e, consequentemente, os resultados que você obtém. Em outras palavras, é essa imagem que diz o que você pode ou não fazer, o que será difícil, fácil ou impossível. Todas as suas ações, seus sentimentos e seus comportamentos serão consistentes com essa imagem. Você não conseguirá escapar dela, independentemente do seu esforço e da sua vontade. A única forma de mudar os resultados em sua vida é mudando essa imagem, e você só mudará essa imagem se mudar suas convicções. Antes de qualquer mudança nos resultados, você precisa mudar suas convicções.

Pense sobre o extrato que Gisele Bündchen receberia do caixa eletrônico. Aos 14 anos, ela tinha uma meta definida: ser a melhor *top model* do mundo. Essa escolha foi pensada e tomada após longas horas de avaliação consciente. Ela tinha talento e paixão. Sabemos que isso é um bom começo, mas, na prática, as coisas mudam. Entre o ponto de partida e o ponto de chegada, há um caminho longo, tortuoso e cheio de armadilhas. É preciso tomar uma série de decisões complicadas, sutis e rápidas. Ao longo da carreira de Gisele, principalmente no início, sua imagem foi posta em xeque inúmeras vezes. Suas convicções foram confrontadas com as ideias dos outros. Ela, particularmente, queria ser a melhor *top model* do mundo, e as outras pessoas, das quais ela dependia, ao menos em parte, diziam que ela nunca estaria numa capa de revista. O mesmo aconteceu com outras pessoas que analisamos até aqui. Stallone, Einstein, Elisabeth Gilbert... Todos passaram por esse confronto. Sem um padrão de convicções sólidas e positivas, o fracasso certamente teria sido inevitável para todos eles.

Cada um carrega dentro de si a imagem que faz de si próprio, uma série de concepções e convicções sobre si mesmo. Assim como os outros são objetos para nós, também somos um objeto para nós mesmos. Esse objeto, a imagem que temos de nós, é que, em última análise, realmente importa. Às vezes, ela é uma imagem vaga, mal definida demais para ser percebida com a mente. Muitas vezes, nem é possível reconhecê-la. Mas ela está aí, desenvolvida até o último detalhe. Essa autoimagem é nossa própria concepção do tipo de pessoa que somos. Ela é criada com base em tudo que pensamos e percebemos sobre nós mesmos. Grande parte dessas crenças forma-se de maneira inconsciente, como resultado de experiências anteriores, dos nossos sucessos e fracassos, das humilhações, dos triunfos e da forma como as outras pessoas reagiram a nós, especialmente durante a infância. Com tudo isso, construímos nosso próprio eu, nossa imagem mental, a convicção que temos sobre nós mesmos.

Uma vez que uma ideia ou uma crença sobre nós passa a integrar essa imagem, ela se torna uma verdade, uma convicção. A partir desse momento, não questionamos mais sua validade. Ela se torna uma verdade inconsciente. Sem perceber sua existência, passamos a agir e fazer escolhas com base nela.

Quando os cientistas ridicularizaram as proposições de Marshall ou quando os transeuntes da estação de metrô de Washington D.C. ignoraram Joshua Bell, eles estavam reagindo conforme suas convicções. A convicção enraizada em nosso subconsciente é tão forte que todas as suspeitas e evidências de Marshall, por mais evidentes e promissoras, não significavam nada. Os outros médicos e pesquisadores simplesmente as ignoraram. Da mesma forma, reagimos diariamente a situações que nos são apresentadas. Em todas essas situações, se nossas ideias e convicções são distorcidas ou irreais, nossa reação será inapropriada. E note que, se as convicções que temos sobre nós mesmos são inapropriadas, não importa o esforço que façamos ou a disciplina e outras virtudes que tenhamos, nossos resultados nunca irão além dessas convicções.

Durante anos, talvez pela vida inteira, carregamos conosco tudo o que é subdesenvolvido ou foi rejeitado, suprimido ou encarado como vergonhoso em nossa personalidade, sem nem mesmo sabê-lo. Possuímos tendências, traços e fraquezas claros, mas que negamos e rotulamos como "esse não sou eu", porque eram inaceitáveis para nossos pais, para outras pessoas ou para nós mesmos. E todas essas convicções impõem um limite a nós. Se quisermos romper esse limite, temos de destruir essas convicções.

Não quero dizer que a vida não apresenta obstáculos reais. Desenvolver nosso talento exige investimento, e nunca há dinheiro o bastante, nunca há tempo suficiente, a toda hora somos desafiados por uma série de obstáculos. Tenho consciência de todas essas restrições. Eu, pessoalmente, enfrento-as todos os dias. O que quero dizer é que esses obstáculos não nos diferenciam das pessoas que alcançam o sucesso. Elas enfrentam essas mesmas restrições. O que nos diferencia é a maneira como lidamos com essas restrições.

Tomar consciência do processo de construção das nossas escolhas é fundamental. Ao lançar um olhar crítico sobre nossas crenças, passamos a questioná-las. Esses questionamentos abrirão pequenas brechas na nossa estrutura psicológica. A partir daí, será mais fácil perceber que essas restrições são equívocos resultantes de conceitos e mitos que assimilamos ao longo da vida e que admitimos como verdades reais. Somente com base nessa compreensão começaremos a ver um modo de superar tais equívocos, e, a partir de então, a mudança se tornará possível.

Imagine que uma pessoa tem a convicção de que nasceu para ser pobre. Se você explicar a essa pessoa que ela é pobre porque possui a convicção de que nasceu para ser pobre, mas que esta convicção não é verdadeira, ela se tornará intolerante e agressiva com você e lhe contará tudo o que já tentou e não deu certo. Porém, esta é tão somente a convicção dela. E suas ações sempre estarão de acordo com essas convicções. Essa pessoa tem, perfeitamente gravada em si, a noção do esforço e do insucesso, e essa noção passou a controlar a vida dela. Nada do que você disser desfará as convicções que ela possui. Ela tem, ou criou, evidências demais a seu favor. E é justamente por causa dessa série de evidências que dificilmente percebemos que o problema está nas nossas convicções ou nas concepções que temos sobre nós mesmos. O que muitas vezes não sabemos é que nós mesmos criamos essas evidências por meio das nossas convicções.

O controle que nossa autoimagem tem sobre nossas ações e resultados é absoluto e persuasivo. Ela é a base, o fundamento, sobre a qual nossa personalidade, nosso comportamento e mesmo nossas circunstâncias são construídas. Como resultado, nossas experiências parecem confirmar e fortalecer essa autoimagem, formando um ciclo negativo ou positivo. Por isso, uma pessoa bem-sucedida tende a ter cada vez mais sucesso enquanto uma pessoa fracassada tende a fracassar cada vez mais, a não ser que rompa o ciclo. Uma pessoa que acredita que nunca conseguirá atingir o sucesso, porque, segundo ela, nasceu para o sofrimento, inevitavelmente terá essa convicção confirmada. Suas experiências parecerão comprovar que aquilo que ela pensa está certo. Precisamos romper esse ciclo mudando nossas convicções. Se alterado, esse padrão de crenças nos dará uma liberdade maior para desenvolver nosso potencial criativo e produzir os resultados esperados.

Em síntese, nossas convicções são cruciais. Perceber que ações, emoções e comportamentos são o resultado das nossas imagens mentais, das convicções que trazemos com nosso legado cultural, abre uma porta poderosa para a mudança. Transformar a imagem que criamos sobre nós, decodificar e reprogramar nosso sistema de crenças de acordo com nossos propósitos oferece-nos uma oportunidade real e rápida para a mudança. Para isso, você deve se fazer duas perguntas:

1. Qual é o padrão que está me dirigindo inconscientemente?
2. É o padrão do sucesso ou da mediocridade?

Por mais que você deseje o sucesso e lute para alcançá-lo, se suas convicções lhe dizem que não será bem-sucedido, acabará confirmando essa crença e criando à sua volta a realidade que existe no seu subconsciente.

O desafio da Pepsi

Na década de 1970, a Pepsi realizou uma ampla campanha publicitária que ficou conhecida no mundo inteiro como "O desafio da Pepsi". A campanha, na verdade, consistia num teste sobre o gosto popular para refrigerantes. Representantes da companhia iam a diversos locais públicos, como praças, shoppings e mercados, e armavam uma mesa. Então, convidavam as pessoas a experimentar dois refrigerantes. Num copo continha Pepsi e no outro, Coca-Cola. Às pessoas, porém, não era revelado que refrigerante havia em cada copo. Elas simplesmente eram convidadas a experimentar os dois refrigerantes e a escolher o melhor. Na absoluta maioria das vezes, a Pepsi era escolhida. Surpresa e muito satisfeita, a empresa investiu uma fortuna para divulgar os resultados da sua pesquisa, comprovando a preferência do público. Mas, mesmo assim, a Pepsi nunca conseguiu superar a Coca-Cola em vendas. Isso gerou uma pergunta intrigante: por que a preferência pelo sabor da Pepsi nunca se refletiu nos números de consumo do produto? Com o passar do tempo, o enigma cresceu. Ninguém conseguia explicar, de forma convincente, por que o consumidor, apesar de preferir Pepsi, continuava comprando Coca-Cola.

Em 2004, um grupo de neurocientistas do Baylor College of Medicine, no Texas, decidiu esclarecer o enigma, propondo-se a descobrir o que acontece no cérebro das pessoas quando são expostas ao desafio da Pepsi. O grupo acreditava que conseguiria desvendar o enigma com o auxílio de uma máquina de ressonância magnética funcional por imagem, o fMRI. Esse equipamento faz um escaneamento cerebral altamente sofisticado, que mede a concentração sanguínea no cérebro em determinado momento e indica qual parte cerebral está sendo ativada e com que intensidade. Utilizando esse equipamento, os pesquisadores monitoraram as atividades no cérebro de 67 pessoas enquanto bebiam os dois refrigerantes.

Para viabilizar a experiência, uma vez que a pessoa não pode movimentar a cabeça enquanto sua atividade cerebral está sendo monitorada, os cientistas utilizaram enormes seringas de plástico com as quais o refrigerante era injetado na boca dos participantes. Monitores visuais foram dispostos de maneira que os participantes pudessem receber informações quando fosse necessário. No experimento, os pesquisadores descobriram algo impressionante: quando os participantes bebiam o refrigerante sem saber a marca, a Pepsi produzia uma resposta mais forte na região cerebral responsável por processar sensações de recompensa, como prazer e satisfação. No entanto, quando a equipe revelava a marca, a maioria dos participantes dizia que a Coca-Cola era melhor. Nesse caso, a atividade cerebral também se alterava. Agora, em vez da região cerebral responsável por processar sensações de recompensa, era ativada a parte do cérebro que responde por altos níveis de poder cognitivo, como a memória.

Esse resultado revelou um paradoxo. Na realidade, os participantes preferiam o sabor da Pepsi, mas sua relação com a marca Coca-Cola os influenciava a negar sua preferência gustativa. Quando as pessoas não sabiam a marca do refrigerante, eram obrigadas a tomar uma decisão racional. Elas tinham de pensar para escolher. Não havia nenhuma convicção formada sobre as bebidas. Nessas circunstâncias, elas optavam pela Pepsi. Quando sabiam a marca, o mecanismo cerebral passava a agir por conta própria. Suas convicções entravam em ação. Era quando elas optavam pela Coca-Cola, pois já sabiam, por convicção, que a Coca-Cola era melhor. Nessas circunstâncias, a escolha era feita de forma automática.

É difícil pensar sobre esse estudo e não se dar conta do lado perverso desse mecanismo cerebral. E ele confirma tudo o que eu disse até aqui. Muitas vezes, somos iludidos por fatores alheios à nossa vontade. Mesmo conscientes do erro, acabamos repetindo-o constantemente, sem saber por que razão o fazemos. Tornamo-nos vítimas de convicções esquecidas, mas que permanecem ativas e se manifestam em nossas atividades. Assim como nos exemplos da reação do público a Joshua Bell e a Marshall e Warren, funcionamos no piloto automático na maior parte do tempo, sem ter consciência do que realmente define nossas ações. Isso nos desperta para uma questão crucial: se nossas convicções não estão alinhadas com nosso propósito, bloquearão nosso sucesso, mesmo que tenhamos todo o potencial, o conhecimento e a qualificação do mundo. Assim como as pessoas preferiam a Pepsi, mas escolhiam a Coca-Cola, se tivermos as convicções erradas, optaremos, inconscientemente, pelo fracasso.

O legado cultural

Em 1859, Charles Darwin publicou o livro *A origem das espécies*, em que trata de sua Teoria da Evolução. Darwin não era o primeiro a afirmar que as espécies vivas evoluem ao longo do tempo. O filósofo inglês Herbert Spencer havia expressado essa mesma ideia muito tempo antes, num ensaio sobre "a hipótese do desenvolvimento". Darwin, porém, foi o primeiro a propor uma teoria que explicasse por que evoluímos. A teoria darwinista não é uma mera ideia vaga sobre evolução criada com base no conceito de que espécies superiores se desenvolvem, de certa forma, de espécies inferiores. *A origem das espécies* traz uma teoria rica, detalhada e bem documentada sobre o processo de evolução por meio da seleção natural, ou seja, a preservação de espécies privilegiadas na luta pela sobrevivência. Uma década depois, o mundo inteiro estava falando sobre sua teoria. Ela representou o que se chama, em ciência, de uma quebra de paradigma, ou, para o propósito deste livro, uma mudança de convicção. Desde sua publicação, o mundo acadêmico estabeleceu um consenso em torno do argumento de que a criação divina, conforme descrita na Bíblia, não faz sentido. Um século e meio depois, pesquisas e estudos científicos tornaram a veracidade da teoria darwinista praticamente inquestionável. Nossa convicção, portanto, também deveria ter mudado. Mas não foi isso o que aconteceu.

Uma pesquisa realizada pelo Instituto Gallup, em 2004, nos Estados Unidos, mostrou que uma minoria absoluta, apenas 13%, crê na teoria de que o homem evoluiu de uma espécie inferior sem que tenha havido qualquer interferência de Deus. Quase metade da população americana, apesar de todas as evidências favoráveis à teoria darwinista, ainda acredita que o homem não evoluiu e, sim, que foi criado por Deus, como consta no Gênesis. E 35% acreditam que o homem evoluiu ao longo do tempo, mas com a interferência da vontade de Deus.

Porém, um dado ainda mais intrigante foi revelado pela pesquisa. Apesar de 45% acreditarem que os seres humanos foram criados conforme conta o Gênesis, somente 34% creem que a Bíblia é a palavra de Deus e, por isso, deve ser interpretada ao pé da letra. Isso quer dizer que não acreditamos que a Bíblia é a palavra de Deus, mas que, quando se refere à criação, preferimos acreditar nela, apesar de evidências científicas comprovarem que a criação divina é muito improvável. Isso não parece fazer muito sentido.

Como explicar essa contradição? A resposta pode ser mais simples do que parece. Qual é a primeira concepção que nos é ensinada sobre a origem do ser humano? A bíblica, certo? Somente anos depois, no colégio, aprendemos o conceito da evolução. Porém, apesar de todas as evidências, não conseguimos nos desfazer da convicção que trazemos da infância. Com o passar do tempo, até entendemos e aceitamos que a Bíblia não é a palavra de Deus, mas não nos libertamos do que ela nos ensinou. Esse paradoxo nos dá uma ideia clara do quanto nossas convicções perduram e influenciam nossas decisões.

Mudando o mecanismo

Nossas convicções constituem uma das razões pelas quais é tão difícil mudar hábitos, personalidade ou nossa forma de vida. O esforço que fazemos é voltado para corrigir os efeitos, mas ignoramos as causas desses efeitos. Na maioria das vezes, tentamos simplesmente ter uma atitude positiva em relação a circunstâncias externas. Instruídos a pensar de forma positiva, repetimos mentalmente o que queremos, mas não pensamos em mudar as convicções que causam esses efeitos. Se mudássemos nossas convicções, as consequências desapareceriam. Lemos dezenas de livros sobre o poder do pensamento positivo. Tentamos, a todo custo, desenvolver entusiasmo pelo trabalho e pela vida. Esforçamo-nos para melhorar nossa autoestima. Mas, depois de pouco tempo, tudo volta ao estágio anterior. Sempre retornamos aos trilhos anteriores. A decepção, o sentimento de impotência, a autocondenação devolve-nos ao velho ciclo. Aos poucos, nós nos convencemos de que esse é o nosso lugar. Ali, apesar de infelizes, estamos confortáveis. A vida parece, pelo menos, ocorrer de forma natural. E poderia ser diferente? É claro que não. Porque essas são nossas convicções. Nossa vida está estruturada sobre elas.

O problema não é que sejamos incapazes ou que nos falte inteligência, vontade ou esforço para mudar. O problema está nas nossas convicções inadequadas. Ideias ou conceitos que são incoerentes com as nossas convicções tendem a ser rejeitados, tidos como falsos e deixados de lado. As noções que parecem coerentes com o sistema são aceitas e tendem a reforçá-lo cada vez mais. Como nossas ações sempre serão coerentes com nossas convicções, criamos um ciclo. O problema está em não sabermos da existência desses padrões e deixá-los guiar-nos de forma inconsciente.

Conduzidos pelo piloto automático das nossas convicções, acreditamos que as coisas sempre continuarão como estão, e essa crença se concretizará. Alimentamos nossas ações com justificativas e argumentos que têm como base as nossas convicções, que se tornam cada vez mais fortes. Mesmo que sua vida siga os passos abordados neste livro, os resultados estarão de acordo com suas convicções; se elas foram inadequadas, seus resultados também serão. A mudança nos efeitos só é possível com uma alteração da causa que promove esses efeitos. Precisamos criar os padrões de convicção corretos, permitindo que as decisões feitas de maneira rápida pelo cérebro sejam as adequadas.

Nesse processo, a primeira coisa que precisamos saber é que nossas convicções são criadas e que podemos destruí-las e substituí-las por outras. Elas só representam uma ameaça se não tivermos consciência de que nossas decisões são resultado de nossas convicções e se não as monitorarmos. Precisamos duvidar da nossa verdade e admitir o erro. Toda expansão começa com uma mudança em nossas convicções, afinal elas determinam nossas expectativas e estas determinam nossas ações. Enquanto não colocarmos em xeque nossas convicções, enquanto não analisarmos o filtro com o qual vemos o mundo, corremos o risco de ser iludidos por uma falsa verdade.

Até aqui, vimos que nossas decisões e escolhas são resultados, na maioria das vezes, de decisões feitas de forma simplificada, seguindo atalhos mentais formados por nossas convicções. Esses atalhos mentais são nossas convicções. Se tivermos convicções equivocadas, nossas escolhas também serão equivocadas. Processamos as informações do ambiente externo por impulsos nervosos trazidos de vários órgãos sensoriais. Esses impulsos são decifrados, interpretados e avaliados pelo cérebro em frações de segundos e trazidos ao nosso conhecimento na forma de ideias, emoções ou imagens mentais, às quais reagimos. Em outras palavras, não sentimos e agimos de acordo com o que as coisas são, mas de acordo com a imagem que nossa mente retém delas.

Um homem que vemos cruzar a rua, uma criança que vemos brincar no quintal, nosso irmão cantando no chuveiro... Todos eles são objetos para nós. Mas esses objetos pertencem apenas a nós. Eles não dizem respeito ao que os outros pensam. Eles são apenas nossos, por isso não são a verdade: são apenas a nossa verdade. Nossas convicções surgem a partir da objetivação que fazemos das coisas e circunstâncias que nos cercam. O problema ocorre quando aceitamos essas objetivações como verdades absolutas e inquestionáveis.

O segundo ponto, fundamental a essa altura, é ter em mente que nossas ações são muitas vezes resultados de escolhas feitas de maneira inconsciente. Reconhecer esse fator é de extrema importância. Precisamos perceber que o cérebro, responsável pelas decisões automáticas, é também quem constrói as convicções que ele mesmo usa para tomar essas decisões. A reação de medo ao encontrarmos uma onça, por exemplo, não é causada por um instinto, mas pelo conhecimento assimilado pelo cérebro em experiências similares vividas ao longo do tempo. É um conjunto de informações, de ideias recebidas do mundo externo, avaliadas, comparadas e aceitas como verdadeiras, que desperta em nós uma reação instintiva a certa circunstância. Esse tipo de raciocínio, feito de maneira inconsciente, baseado em convicções erradas, é o que desvia nossas decisões daquilo que queremos obter, e o faz sem que percebamos.

Há uma tendência automática a avaliar e julgar as circunstâncias seguindo padrões como esses. Entretanto, são experiências, ideias ou convicções, programadas em algum momento da nossa vida, que disparam o que chamamos de reação instintiva. Quando você foge da onça, está reagindo ao que você pensa, acredita ou imagina. Se você conseguir mudar o que pensa, acredita e imagina, poderá mudar sua reação.

Foi reagindo a esse mesmo sistema, formado por convicções, que os especialistas em moda afirmaram que Gisele não tinha jeito para ser modelo, que seu nariz era muito grande. E foi também reagindo a esse padrão de convicções que Gisele ignorou o lado negativo desses comentários, acreditando que ela tinha o que era necessário para desenvolver seu potencial, e seguiu adiante.

CAPÍTULO 8

FOCO, TEMPO E O PROBLEMA DO SENTIDO

A importância de manter o foco no gerenciamento de suas energias, e não do tempo

Em agosto de 1983, Eiji Toyoda, o presidente da Toyota, reuniu-se com os principais diretores, estrategistas e engenheiros da empresa. Em certo momento da reunião, ele fez uma pergunta intrigante: "Nós podemos fabricar um automóvel de luxo com condições de ser o melhor do mundo?". Por um momento, houve um silêncio na sala. Na época, a Toyota já era reconhecida no mundo inteiro pela qualidade dos seus veículos, mas apenas na linha de carros populares. Ela não tinha nenhum modelo, principalmente nos mercados americano e europeu, que competisse com clientes mais sofisticados. Esse era um nicho que pertencia às marcas Mercedes-Benz, BMW, Lincoln e Audi e à linha Infiniti, da Nissan. Mas, a partir daquela reunião, esse quadro mudaria. A resposta da equipe, como se pode imaginar, foi positiva. A Toyota estava decidida a buscar seu espaço no segmento de veículos de luxo. Estava nascendo um novo modelo, o Lexus.

Para desenvolver um automóvel que disputasse o trono de melhor do mundo na categoria luxo, a companhia escalou 1.400

engenheiros, 2.300 técnicos de produção e centenas de membros para integrarem o grupo de apoio. Uma equipe de engenheiros e supervisores foi aos Estados Unidos com o propósito de pesquisar as necessidades e os hábitos dos americanos. Outro estudo analisou minuciosamente os estilos de vida da classe alta americana e europeia. Tudo isso era feito para adequar o novo veículo ao sonho dos futuros consumidores. Para evitar especulações, o projeto foi desenvolvido em sigilo máximo. Apenas os integrantes da equipe conheciam os detalhes do novo modelo, ao qual se referiam apenas como Projeto F1. Ao longo de cinco anos, entre 1983 a 1988, foram produzidos 450 protótipos, com um custo de 1 bilhão de dólares. Para garantir a perfeição do veículo, a equipe testou os modelos, ao longo de quinze meses, tanto nas *freeways* americanas como nas *autobahn*s alemãs. Um ano depois, o design final do F1 foi aprovado. Em maio de 1988, o primeiro Lexus, o modelo LS 400, saiu da linha de produção da fábrica da Toyota em Tahara, no Japão.

Menos de um ano depois, em setembro de 1989, o LS 400 estava sendo comercializado em praticamente todos os pontos de revenda da Toyota nos Estados Unidos. O lançamento foi acompanhado por uma multimilionária campanha de marketing que apontava o carro como sinônimo de perfeição. E, aparentemente, era essa a impressão que o veículo causava. O LS 400 era silencioso e sofisticado como nenhum outro. Tinha segurança e desempenho e foi o primeiro a apresentar adequações no sistema de emissão de gases, reduzindo a poluição lançada no meio ambiente. Tudo isso causou um impacto imediato e aparentemente irreversível entre os consumidores. Uma aura de prestígio e paixão logo envolveu o veículo.

Contudo, como a primeira impressão nem sempre é a que fica, as coisas começaram a mudar alguns meses depois. No início de 1990, a empresa começou a receber reclamações sobre o veículo. Consumidores haviam notado problemas no controle do piloto automático e nas luzes de freio. Logo, a Toyota teve de reconhecer que esses problemas eram defeitos de fabricação. A empresa viu-se diante de um dilema que poderia representar um tremendo retrocesso na evolução da nova marca. Depois de toda a euforia, era hora de encarar uma das coisas mais desagradáveis no setor automobilístico: o *recall*.

Vista de qualquer aspecto, a situação da Toyota era embaraçosa. Eiji Toyoda havia anunciado que a companhia fabricaria o melhor carro de luxo do mundo. Campanhas publicitárias reforçaram essa ideia milhares de vezes. Agora, pouco menos de um ano após o badalado lançamento do LS 400, a empresa era forçada a admitir erros de fabricação justo no que havia sido anunciado como sinônimo de perfeição.

A solução mágica para o Lexus

Se você fosse um dos encarregados de encontrar uma solução para o problema, o que faria? Como resolveria essa situação? Existem vários pontos para os quais direcionar o foco. Um deles poderia ser a conclusão de que isso não teria acontecido se Eiji Toyoda não tivesse sido tão prepotente e tão sonhador. A Toyota já era, na época, uma marca reconhecida mundialmente pela durabilidade de seus modelos populares. Esta era sua especialidade. Por que não se contentar com isso? Por outro lado, isso também não teria acontecido se os engenheiros e técnicos encarregados do design e da fabricação do Lexus tivessem agido com mais cuidado. Enfim, poderíamos realizar uma série de análises e avaliações na busca por culpados. Isso resolveria o problema? Certamente não. Por outro lado, você poderia direcionar o foco para o futuro, tentar prever as consequências negativas e monitorar as críticas da mídia especializada, a chacota dos concorrentes, a insatisfação dos clientes. Isso resolveria o problema? Certamente também não, já que essa análise apenas criaria angústia, insegurança, medo e desânimo. O que você faria?

Problemas geralmente surgem quando assumimos compromissos, quando definimos metas e objetivos. Aliás, o único motivo que nos leva a estabelecer uma meta, um compromisso, é a existência de obstáculos, situações que dificultam o caminho entre o ponto em que estamos e o ponto aonde queremos chegar. Os problemas são, assim, inevitáveis. Qualquer meta, qualquer objetivo, já vem com desafios acoplados. O exemplo do Lexus talvez lhe pareça um pouco fora de contexto, afinal, possui uma dimensão desproporcional quando comparado aos problemas que a maioria de nós enfrenta na vida. Quanto maior a meta, maiores os desafios. Porém, apesar da desproporcionalidade, a situação do Lexus exemplifica um dilema que a maioria de nós enfrenta cada vez que tropeça nos próprios erros. Pense nas vezes que você prometeu alguma coisa e não conseguiu cumprir; nas vezes que assumiu um compromisso, empenhou sua palavra e falhou. Nesses momentos, para onde você direciona seu foco? Qual é a primeira coisa na qual você pensa diante de uma situação dessas? Você procura um culpado? Uma desculpa? O que você faz? Qual foi, em sua opinião, a decisão da Toyota? Para onde ela direcionou o foco?

 A proposta da Toyota era fabricar o melhor carro de luxo do mundo. Isso responde à nossa pergunta, pois a equipe que criou o Lexus manteve o foco no propósito. Com isso em mente, buscou uma maneira eficaz e eficiente de resolver a situação. Como? Imagine que você é um cliente que acaba de comprar um LS 400. Que atitude você esperaria de uma empresa que lhe vendeu um carro de luxo divulgado como o melhor do mundo? Geralmente, um *recall* é precedido de avisos na imprensa especializada e do envio de uma notificação pessoal. A Toyota, porém, decidiu não depender desses meios tradicionais para resolver essa situação. Ela designou uma equipe especial para entrar em contato com seus clientes. No mesmo dia em que colocou os anúncios na imprensa, a empresa telefonou para cada um dos 8 mil clientes que haviam comprado um LS 400. Ela comunicou-os pessoalmente sobre as falhas no veículo e ofereceu alternativas para solucionar o problema. Numa operação que não durou mais do que vinte dias, todos os veículos que haviam sido vendidos até então foram reparados. Na maioria dos casos, a empresa enviou funcionários até a casa dos clientes para buscar o veículo e, após fazer o reparo, efetuou uma lavagem completa e abasteceu o tanque. Em alguns casos especiais, em que o cliente residia a mais de sessenta quilômetros de uma concessionária, a empresa enviou um técnico até a residência do proprietário para efetuar o conserto em domicílio.

Mantendo o foco no seu propósito, a Toyota encontrou uma alternativa em que pôde transformar uma situação embaraçosa numa vantagem. Ela transformou o *recall*, indesejado e malvisto pelos clientes, numa forma de captar clientes de maneira extremamente positiva. Quando você compra uma novidade, como era o Lexus em 1990, há uma tendência natural de que você se torne uma espécie de laboratório. As pessoas prestam atenção no seu veículo para ver como essa relação se desenvolve. Você passa a ser um porta-voz da empresa porque as pessoas o procurarão quando tiverem questionamentos. Imagine o vizinho invejoso de um proprietário do Lexus. Ao saber do *recall*, ele certamente não deixaria de comentá-lo. E qual seria o resultado? O dono do Lexus, em vez de criticar o *recall*, falaria com euforia sobre a eficiência e a presteza da empresa no conserto dos defeitos. Ao dar esse passo ao encontro dos seus clientes, a Toyota deu um motivo para que eles se orgulhassem dela e do negócio que haviam feito. Mantendo o foco no propósito, o Lexus cresceu, expandiu-se e adicionou ainda mais valor à marca por meio de uma situação que parecia altamente embaraçosa.

Isso só é possível por três motivos específicos. Todos estão correlacionados com o foco:

1. O primeiro motivo diz respeito ao foco em si. O Lexus foi criado para ser o melhor carro de luxo do mundo. Nada, nem mesmo o *recall*, foi encarado fora desse contexto.
2. O segundo motivo diz respeito ao foco no momento. Embora a empresa tivesse um propósito futuro, que ainda era construir o melhor carro de luxo do mundo, o foco estava na ação presente. Ela soube gerenciar sua energia, e não seu tempo. É impossível agir onde você não está. Da mesma forma, é impossível agir onde você esteve e onde estará. Você somente pode agir onde está. O desafio encontra-se em focar sua atenção no gerenciamento mais efetivo da sua energia. Em outras palavras, isso significa que, quando

> você define um propósito, precisa ter em mente que não pode executar o propósito, apenas agir no sentido da sua execução. E é nesse sentido que você deve investir sua energia.
> 3. Desde o início, o Lexus foi criado com o propósito de ser muito mais do que apenas um veículo de luxo. O sentido por trás do nascimento dessa marca era fabricar o melhor carro de luxo do mundo. Esse sentido é o terceiro motivo. Quando você sabe qual é o sentido por trás de alguma coisa, você saberá em que colocar o foco.

Quando o cérebro impõe o limite

O ser humano possui um limite em sua capacidade de compreender, avaliar e processar informações sobre um tema específico em determinado momento. Quando alcançamos esse limite, ficamos sobrecarregados, confusos e oprimidos por tanta informação. Se precisamos escolher entre opções demais, entre mais alternativas do que nossa mente consegue avaliar, ficamos paralisados. Quando isso acontece, nossa tendência é ignorar a informação por completo. Nosso cérebro, por exemplo, só consegue registrar, de maneira eficaz, dois a três aromas diferentes de uma só vez. Se há mais aromas, o cérebro fica literalmente confuso. Se você comprar um perfume depois de ter cheirado mais de três outros, certamente se surpreenderá quando sentir seu aroma no dia seguinte.

Isso também explica por que, em atos de caridade, as pessoas se sensibilizam muito mais com fatos isolados, específicos, nos quais sabem a quem estão ajudando. As instituições de caridade, por exemplo, têm enorme dificuldade para arrecadar dinheiro para ações coletivas, como alimentar milhares de crianças desnutridas em países pobres. As pessoas não conseguem se comover com uma coisa tão ampla, que supera sua capacidade de compreensão; no entanto, na maioria das vezes, fascinam-se por fatos específicos em que as vítimas podem ser identificadas.

Em 1987, por exemplo, uma menina chamada Jessica recebeu mais de 700 mil dólares em doações quando virou manchete por ter caído em um poço perto de sua casa, no Texas, Estados Unidos. Em outro caso, ocorrido durante a guerra no Iraque, Ali Abbas, um menino ferido no conflito, cativou a mídia europeia e, em poucas horas, recebeu mais de 275 mil euros em doações para custear seu tratamento médico. Em 2002, num episódio ainda mais impressionante, foram arrecadados mais de 48 mil dólares para salvar um cão abandonado a bordo de um navio à deriva no Oceano Pacífico, perto do Havaí.

A dificuldade de mobilização das pessoas para resolver problemas de grande dimensão — como a desnutrição nos países subdesenvolvidos — em contraste com o entusiasmo para casos isolados — como o de Jessica, Ali Abbas e outros tantos, em que as vítimas são identificadas — é uma consequência do foco.

"Eu fiz uma massagem"

Pense na última vez que você se sentiu altamente produtivo. Provavelmente, você teve uma intensa sensação de que estava no controle, não sentiu estresse e focou-se estritamente no que você estava fazendo. O tempo simplesmente desapareceu da sua consciência. Quando percebeu, havia passado muito tempo. Você se sentiu útil, satisfeito, convicto de que fez um considerável progresso em sua tarefa. Agora pense numa situação em que você esteve longe desse estado, sentindo-se fora de controle, estressado, disperso, enjoado, atolado. Onde estava seu pensamento? Nossa mente nos lembra das coisas que precisamos fazer justamente quando não podemos fazê-las. Desde que acordou, você pensou em alguma coisa que precisa fazer, mas não fez? Você pensou nisso mais de uma vez? Por quê? É uma perda de tempo e de energia pensar numa coisa na qual não progredimos. Pensar numa coisa que você deveria estar fazendo, mas não está, apenas intensifica sua ansiedade. Mantenha o foco no seu propósito, na visão do que você quer, mas aja em seu ambiente atual e com energia total.

Em 2006, Gisele Bündchen se apresentou ao lado do cantor Justin Timberlake num desfile da marca Victoria's Secret. Enquanto Gisele desfilava, Timberlake a seguia. Ele cantava e dançava ao seu lado. A música geralmente dita o ritmo do desfile, e, dessa vez, o som era muito mais dançante. Gisele, no entanto, seguiu o desfile em seu ritmo normal, ignorando o que se passava à sua volta. Na opinião dos críticos, a interação entre os dois foi um espetáculo. Dias depois, num programa de televisão, a apresentadora Ellen DeGeneres perguntou à modelo: "Como foi o dia anterior ao desfile? Você ficou nervosa? Como você se prepara para um desfile?". Gisele olhou ao redor, pensou, insinuou um gesto, riu e, sem saber exatamente o que dizer, revelou: "Eu fiz uma massagem. Esse foi o meu preparo". No auditório, o público riu. Isso foi engraçado por um único motivo: a resposta de Gisele quebrou a expectativa da plateia. Todos esperavam outra resposta. Esperavam que Gisele dissesse o quanto fica angustiada, perturbada, nervosa nos dois, três ou quatro dias que antecedem um desfile. Afinal, é assim que nós nos sentimos diante de um grande evento.

Essa história é interessante porque nos revela um segredo importante: o foco mental. Gisele não abriu espaço para questionamentos mentais, não deu oportunidade para a complexa confusão que se forma em nossa cabeça quando deixamos nossos pensamentos correrem soltos. Tudo o que ela fez foi descansar, confiante de que faria o melhor que pudesse. Quando chegou o momento do desfile, ela estava pronta para deixar seu talento fluir de forma natural. Para atingir o nível de eficácia necessário para alcançar o sucesso, precisamos aprender a gerenciar o foco, mantendo-o voltado para nossas prioridades, e não para o tempo. Afinal, você não consegue transformar cinco minutos em dez. A questão está em fazer a escolha apropriada em cada momento. A verdadeira questão do foco está em saber gerenciar suas ações. Por isso, tudo o que falamos até aqui é tão importante. É muito difícil focar a energia no gerenciamento de ações que você ainda não identificou ou não determinou.

Valdir Bündchen, em seu livro *Como construir a si mesmo*, afirma que a preocupação com o resultado nos distrai durante a ação.

"Quando deixamos nossos pensamentos voarem para o futuro, saímos do nosso ponto de excelência e levamos nossa concentração conosco", escreveu ele. Para facilitar a compreensão dessa ideia, Valdir usou uma analogia: "No jogo de vôlei, muitas vezes, um time tem uma vantagem ampla sobre o adversário. Quando falta apenas um ponto para acabar o jogo, o time que está perdendo reage de maneira impressionante, e muitas vezes vence a partida", escreveu ele. Sabendo que não pode permitir que o adversário faça um único ponto sequer, o time que está em desvantagem coloca seu foco, de maneira isolada, em cada jogada. A meta de vencer o jogo é transferida para "não perder esse ponto!". A equipe cuida de cada lance como se fosse o único. "Em outras palavras, a jogada deixa de ser uma gota no balde para se tornar 100% do conteúdo do balde", explicou Valdir. A intenção do time continua sendo a vitória, mas o foco não está mais na vitória e, sim, no próximo lance, que é o que, no acúmulo, trará ou não a vitória. "O time deixa de pensar no futuro, no final da partida, que ainda está longe, e se concentra na situação presente", escreveu ele.

Na verdade, o que Valdir nos ensina é que a equipe passa a se focar no momento presente. Ou seja, se voltamos nossa mente para o futuro, agimos no presente com uma mente dividida e, por isso, perdemos a eficácia. Sua energia deve estar totalmente na ação presente.

É interessante, nesse contexto, retomar o estudo feito pelo psicólogo Marco Antônio De Tommaso, citado no capítulo 4. Ele apontou a ansiedade, a dificuldade de adaptação, o medo de não dar certo e o despreparo para a recusa como os principais problemas enfrentados no início da carreira de modelo. Concluímos que esses também são, em grande parte, os maiores desafios enfrentados em qualquer início de carreira. Se você observar esses quatro fatores perceberá que todos são uma consequência da maneira como nos relacionamos com o foco. Em todos eles, você tenta gerenciar seu tempo, e não sua energia. Por exemplo, você fica ansioso agora porque quer saber o que lhe acontecerá no futuro. Você tem dificuldade para se adaptar ao novo porque está focado no que teve no passado.

Você tem medo de não dar certo porque antecipa, de forma negativa, o futuro. Você tem dificuldade de lidar com uma recusa porque ela gera insegurança quanto ao futuro.

Os dois conceitos de tempo

Algum tempo atrás, um enorme quadro branco com o esboço de um projeto ocupava a parede ao fundo do escritório de Valdir Bündchen. Ele chamava esse esboço de "Projeto 5". Era nessa sala que ele se reunia regularmente com cada uma de suas filhas para conversar e auxiliá-las na projeção de seus caminhos. Valdir tem como regra planejar a vida por cinco anos. Era essa estratégia que ele ensinava para as filhas. "A vida deve ser planejada em ciclos", explica ele. "Cinco anos é um ciclo perfeito. Com menos tempo, você não conseguirá estruturar uma mudança significativa. Com mais tempo, você não manterá a visualização necessária."

Nesses encontros, além de ajudar a projetar as ações de suas filhas para o futuro, era feita uma análise detalhada dos anos anteriores. A intenção era aprender com os erros do passado tomando as medidas apropriadas para não os repetir no futuro. "Mesmo nesse planejamento, em que se referir ao passado e ao futuro é inevitável, o instante presente permanece o fator essencial. Cada lição do passado é assimilada no presente, e cada projeção do futuro também. Mas o passado não se transforma em ressentimento, nem o futuro em angústia. Falamos sobre o tempo, mas não há identificação com ele", explicou.

Valdir compara esses exames ao ato de preparar uma mala para uma viagem. "Você imagina o que vai usar ao longo da viagem, separa o estritamente necessário e o leva consigo. O resto, você deixa para trás", explica ele. "Imagine como seria fazer uma viagem se você tivesse de levar todas as suas roupas, todos os seus calçados? Seria cansativo demais", argumenta. "O mesmo acontece quando levamos conosco a bagagem psicológica do passado e do futuro. A vida se torna pesada demais. O uso do tempo cronológico é fundamental, mas temos de saber distingui-lo, de forma clara, do tempo psicológico."

O que Valdir quis dizer com tempo psicológico e tempo cronológico? Uma antiga parábola ilustra de maneira perfeita a diferença entre esses dois conceitos. A parábola diz que, certa vez, o prior-mor de um mosteiro pediu que um monge veterano e um monge iniciante levassem um recado a outro mosteiro. A viagem era longa e feita a pé. A certa altura, logo no início do caminho, os dois monges encontraram uma mulher que não conseguia cruzar um riacho. O monge mais novo compadeceu-se e, mesmo sabendo que as regras do monastério eram rígidas ao afirmar que um monge não pode tocar em uma mulher, tomou-a nos braços, carregando-a até o outro lado do rio. Depois, seguiu seu caminho ao lado do colega.

Os dois caminharam por horas. O diálogo animado e interessante que haviam iniciado passou ao silêncio. Quando chegaram ao destino, entregaram o recado e iniciaram o caminho de volta. O monge mais novo percebeu que seu colega estava magoado, mas, respeitando seu sentimento, manteve-se em silêncio. No final da tarde, quando já avistavam o mosteiro, o monge mais velho, não aguentando mais, voltou-se para o novato e perguntou: "Por que você carregou aquela mulher no colo? Por acaso não sabe que isso vai contra nossas regras?". O noviço se virou, olhou o monge nos olhos e respondeu: "Eu carreguei aquela mulher mais de dez horas atrás, na outra margem do rio, e você ainda a carrega em sua mente?".

Na maioria das vezes, agimos como o monge veterano e focamos nossa energia, de forma equivocada, num remoer constante de uma ideia passada. O problema não está no tempo em si, mas na maneira como o entendemos. Nossa relação com o tempo é equivocada, e os reflexos dessa relação são mais comuns e intensos do que podemos imaginar. Temos uma tendência a estabelecer uma meta e confundi-la com a felicidade. Nossa razão de viver passa a ser nossa meta, que está no futuro.

Toda dor psicológica, como raiva, estresse, ansiedade, angústia ou depressão, resulta da resistência a um fato, acontecimento ou circunstância que nos diz respeito. Toda essa carga de opressão está no passado ou no futuro. O que aconteceria se a Toyota agisse de uma maneira comum, como a maioria de nós agiria, para resolver o problema do Lexus? Imagine o que aconteceria se ela olhasse para trás, em busca de culpados, de quem demitir, ou se olhasse para o futuro, com angústia e medo da reputação negativa que aquele problema poderia trazer? É nesse jogo com o tempo que perdemos completamente o foco sobre o sentido do problema e passamos a lidar com eventos imaginários, que sequer aconteceram. Errar faz parte do jogo. Resistir ao erro é um erro ainda maior que o próprio erro. Toda angústia, medo, ansiedade, estresse e preocupação é resultado de nossa resistência ao erro. Quando você ajusta os conceitos do tempo, passa a viver sua jornada, e não a esperança da realização futura. Esta é uma lição que precisamos aprender.

Onde você costuma colocar o foco da sua vida? Como você investe sua energia? Você deve usar seu pensamento para descobrir seus pontos fortes e estabelecer um propósito definido, mas, seja qual for o propósito, você deve agir no presente. Você não pode fazer nada no passado; por isso, liberte-se dele. Você também não pode agir no futuro, porque ele ainda não chegou e nunca chegará. Você nem mesmo pode saber como agirá no futuro porque não conhece as contingências que o envolverão.

Tentamos controlar os eventos da nossa vida, mas não somos capazes de controlá-los, e, nessa frustração, limitamos nossa vida a circunstâncias menores, sobre as quais temos certo controle. Essa atitude reduz nossa qualidade de vida, limita o desenvolvimento de nosso potencial e impede-nos de explorar nossos talentos. Para desenvolver nosso potencial, precisamos lançar-nos em ambientes onde não sabemos o que fazer, onde não existem somente certezas. E esses momentos podem nos encher de desespero e angústia se nossa relação com o tempo for equivocada. "Gosto do desafio de fazer algo novo. Tenho um medo positivo. Aliás, é esse medo, essa insegurança, que me move", afirmou Gisele. Perceba que a insegurança sobre a qual ela fala é a mesma que muitas vezes nos paralisa. "Sou uma pessoa como qualquer outra, que erra e acerta", disse ela.

É nesses ambientes, repletos de desafios, que crescemos mais. É neles que descobrimos nosso verdadeiro propósito e que moldamos nosso caráter.

No capítulo 6, sobre o paradoxo da inteligência, abordei um incidente na carreira de Gisele. Num evento da Victoria's Secret, manifestantes da organização Peta invadiram a passarela para protestar contra a modelo. Gisele tinha assinado um contrato com a marca Blackglama, que usa pele de animais para fabricar roupas. Você lembra qual foi a reação de Gisele? Nos dias seguintes, ela assumiu publicamente que ter assinado um contrato com a Blackglama foi um erro. "Eu não uso roupas de pele e entendo os manifestantes", disse ela.

Em síntese, se você cometeu um erro no passado e aprende com ele no presente, está usando o tempo cronológico. Se você está se remoendo por dentro, nadando num oceano de remorso, de culpa e de arrependimento, está transformando o tempo passado no tempo presente, transformando um erro em uma parte do seu ser ao identificar-se com ele, tornando-se o erro. Nesse caso, você está perdido no tempo psicológico. A incapacidade de perdoar a si mesmo e aos outros é um exemplo típico desse equívoco.

Se você estabelece uma meta e trabalha para atingi-la, está vivendo no tempo cronológico. Você sabe para onde está indo e está colocando toda a sua atenção no trecho do caminho em que está agora. Se, ao contrário, o resultado final se torna uma obsessão no presente, e seu caminho torna-se um meio para chegar ao instante que está no fim do trajeto, lá adiante, no futuro, acreditando que será feliz quando obtiver o resultado almejado, você não está vivendo mais no instante real em que se encontra, mas no futuro. Você está vivendo no tempo psicológico. Todos os planos, metas e o próprio propósito são estabelecidos no tempo cronológico. O tempo psicológico deve manter seu foco constante no agora.

Quando estamos envoltos pelo tempo psicológico, a vida cria uma obsessão pelo futuro como forma de escape da insatisfação do presente. Precisamos atingir nosso objetivo para que a vida tenha sentido. Isso é um erro. Estar livre desse erro é não perseguir nossas metas com uma determinação cega guiada por ansiedade, insegurança, medo ou necessidade de triunfar para se tornar alguém. Nossos dias perderão o sentido. Estar no presente, quando tudo o que você gostaria é estar no futuro, gera angústia, ansiedade, insegurança e insatisfação. Quando estamos livres desses sentimentos, o caminho se abre para tudo o que buscamos.

Cada dia é uma etapa. Você pode fracassar ou ser bem-sucedido. É a contagem dos dias que vale. São os dias bem-sucedidos que o levarão até seu propósito. Se você fracassar no maior percentual dos dias, nunca será bem-sucedido; por outro lado, se seus dias forem bem-sucedidos, não há como fracassar. É simples e óbvio assim. Você sabe o que quer e sabe o que fazer: se não o faz, falhou no que concerne a esse dia. Você nunca obterá êxito no presente se ficar remoendo o passado ou construindo castelos de areia no futuro. Um propósito é alcançado com ações práticas, e você só pode agir no momento presente.

Observe a atitude de Gisele em relação ao desfile com Justin Timberlake. Você poderia dizer: "Como ela pôde não se preocupar?!". Ela poderia ter analisado as circunstâncias do desfile, tentado prever o que poderia dar errado ou avaliado os riscos? Claro que sim, e você pode e deve avaliar possíveis circunstâncias. Porém, a verdade é que não podemos prever os resultados, nem mesmo os fatos mais triviais do amanhã. As contingências raramente dependem de nós. Tudo o que podemos fazer é dar o melhor de nós em cada instante, fazer de cada ato isolado um sucesso em si.

Nos encontros do Projeto 5, Valdir não disse às filhas o que elas deveriam fazer. O que ele fez foi criar um sistema de valores e princípios para elas. Depois, ajudou-as a monitorar os diferentes pontos em cada fase do sistema. Por meio do Estudo de Perfil Pessoal, ele deu a elas um mapa compreensível de si mesmas, e, com um planejamento integrado, deu-lhes as ferramentas necessárias para construir o caminho que as levaria até seu destino. Porém, as escolhas sobre nossas ações são um processo individual. É aqui que a maioria de nós erra. Nós nos preocupamos com o que nossos filhos devem fazer e tentamos controlar seus caminhos, mas pecamos ao não oferecer um mapa, um sistema de valores que seja completo e possa competir com as coisas oferecidas pelo meio externo. Quando tomamos uma decisão, não somos capazes de avaliar todas as opções possíveis. Isso tomaria muito tempo. Por isso, é necessário definir, no início, o objetivo da jornada. Para facilitar o processo das infinitas escolhas do dia a dia, precisamos definir alguns padrões irrevogáveis, e esses serão nossos valores, coisas como honestidade, integridade e simplicidade.

Roddick entregou o jogo

Outro fator fundamental do foco é o sentido pelo qual queremos atingir nosso propósito. Para facilitar a compreensão, vamos analisar algo que aconteceu na carreira do tenista americano Andy Roddick. Ele iniciou sua carreira profissional em 2000. Antes disso, já havia se consagrado como o melhor tenista juvenil. Em 2000, tornou-se o mais jovem entre os duzentos melhores tenistas do mundo. No ano seguinte, tornou-se o mais jovem entre os vinte melhores. Em 2002, estava entre os dez. No ano seguinte, foi o melhor tenista do mundo e o segundo mais jovem a conquistar esse título. Em maio de 2005, no torneio Masters Series de Roma, Roddick jogou as oitavas de final contra o espanhol Fernando Verdasco. Ele venceu o primeiro *set* e estava ganhando o segundo quando Verdasco realizou um saque aparentemente decisivo.

No tênis, o jogador tem duas oportunidades de saque. Se ele erra a primeira, é marcada uma falta. Quando erra os dois saques, ele comete uma falta dupla e perde o ponto. Verdasco já havia errado o primeiro saque, e, quando sacou outra vez, o juiz de linha entendeu que a bola foi para fora e anunciou a falta dupla. Era o ponto que daria a vitória para Roddick. Mas, contrariando a decisão do juiz, Roddick não aceitou o ponto. Ele foi até a marca deixada pela bola e fez um sinal com o pé, provando que ela havia caído dentro da quadra. O juiz aceitou a argumentação de Roddick e deu o ponto para Verdasco, que, no fim, venceu a partida e eliminou Roddick.

Existe uma crença entre nós que, para vencer na vida, é preciso ser um depredador, mas momentos assim provam exatamente o contrário. Esse exemplo introduz o terceiro ponto crucial que precisamos levar em conta na hora de direcionar nosso foco. Esse ponto é o sentido pelo qual queremos aquilo que definimos no nosso propósito de vida. Os seres humanos são complexos em termos de sistemas enérgicos. Em nossa jornada, o foco não pode ser unidimensional. A energia que pulsa em nós possui quatro dimensões: física, mental, emocional e espiritual. Todas são fundamentais. Ter um foco específico para apenas uma dessas forças energéticas não é o suficiente. Nossa jornada pessoal tem um propósito externo, que é a meta que pretendemos alcançar, e um propósito interior, que é a razão pela qual queremos alcançar nossa meta externa. É possível obter sucesso na conquista de todas as suas metas externas e fracassar completamente no propósito interior, que dá sentido às nossas conquistas.

O que faz com que você se levante todos os dias? Quais são os valores e princípios que guiam seus passos na jornada para o sucesso? Perceba que não estamos falando aqui de *o que* você quer alcançar na vida. Estamos falando de *por que* você quer o quer. Muitas pessoas trabalham muito, estabelecem metas, criam estratégias e alcançam objetivos espetaculares, mas não encontram sentido para a vida. Não conseguem encontrar o verdadeiro propósito naquilo que fazem. Outras estabelecem metas e esperam atingi-las para serem felizes. Se você realmente está vivendo sua vida, cada momento deve ter sentido, todos os dias devem ter um significado. Porém, para compreender o sentido da vida, precisamos antes acreditar que ele existe. Esse sentido é encontrar uma razão para estar aqui.

É evidente que Roddick queria vencer o jogo contra Verdasco. Este era seu propósito. Ele havia se preparado durante a vida inteira. Seu objetivo era a vitória. Porém, havia também um conjunto de princípios que pavimentavam esse caminho e regulamentavam a maneira como conseguiria a vitória. Se tudo que fizermos for estabelecer metas e procurar atingi-las, inevitavelmente chegará o momento em que atingiremos essas metas, mas sentiremos que continuamos no lugar de onde saímos. É comum ver pessoas atingirem um elevado patamar de sucesso, sendo consideradas estrelas, e se entregarem a distrações como drogas e álcool, ou até mesmo ao suicídio. Elas alcançaram sua meta, mas não sabiam qual era seu sentido.

Ser pego no auge do sucesso profissional sem ter construído um sentido superior, algo além do próprio sucesso, resulta em desespero. Veja, por exemplo, a história de dois ícones da moda: Kate Moss e Naomi Campbell. Ambas, em certo sentido, atingiram o ápice da carreira de modelo, assim como Gisele, mas suas vidas, pelo menos ao que parece, são bem diferentes. Kate Moss nasceu na Inglaterra em 1974. Assim como Gisele, iniciou sua carreira aos 14 anos. Kate foi um sucesso imediato e tornou-se uma das grandes estrelas do mundo da moda.

Durante anos, o jornal inglês *The Daily Mirror* afirmou diversas vezes que Kate Moss era dependente de cocaína. Ela negava, dizendo que as afirmações do jornal eram ridículas. Por fim, em setembro de 2005, o jornal divulgou uma série de fotos em que a modelo aparecia consumindo a droga. Uma série de escândalos sucedeu a publicação. Pouco tempo depois, Kate havia perdido a maioria dos contratos que assinara. Por fim, ela assumiu a dependência. No mesmo ano, entrou numa clínica de reabilitação e libertou-se do vício.

A também inglesa Naomi Campbell surgiu no mundo da moda na década de 1980, após ser descoberta por John Casablancas, da agência Elite Model. Anos depois, ela foi demitida da agência pelo próprio Casablancas, que deu como motivo da demissão a falta de profissionalismo da modelo. Este, porém, foi apenas o início da tumultuada carreira de Naomi. Em 2001, ela foi expulsa da loja Voyage, em Londres, onde brigou com os funcionários porque demoraram a abrir a porta para que ela pudesse entrar. Em 2005, sua melhor amiga, a atriz Yvonne Sciò, deu queixa à polícia contra Naomi após ser hospitalizada com um corte na boca e várias contusões causados por socos e chutes de Naomi durante uma briga no hotel onde as duas amigas estavam hospedadas em Roma. O motivo da confusão foi Yvonne ter usado um vestido igual ao de Naomi numa festa. Em outubro de 2006, Naomi foi detida no centro de Londres por ter agredido a psicóloga que lhe dava assistência no seu tratamento contra a dependência química. Em 2007, em seu apartamento em Nova York, uma empregada demorou a encontrar uma calça jeans da modelo. Irritada, Naomi jogou o celular na cabeça da funcionária, que teve de ser hospitalizada. Em 2008, Naomi foi presa num aeroporto de Londres porque exaltou-se quando descobriu que uma de suas malas havia sido extraviada. Quando dois policiais apareceram para acalmá-la, ela passou a dar coices e a cuspir nos policiais, sendo algemada e presa. Mais tarde, foi condenada a prestar duzentas horas de serviços comunitários e a pagar uma indenização aos policiais.

Esses comportamentos são uma expressão do sentido peculiar que cada um dá à própria vida. A maneira como processamos nosso dia a dia é resultado direto dos valores e princípios que cultivamos, do sentido maior através do qual vemos a vida. O refúgio em drogas e em outros comportamentos que manifestam sinais de pretensa superioridade — e que, na verdade, são complexos de inferioridade — decorrem da falta de sentido ou, talvez, de um sentido equivocado. O que guia a sua vida? O medo? O ódio? A aventura? O que define o seu sentido? A competição com seu vizinho? Os seus pais? A culpa? O passado? O que determina o seu foco?

O ser humano é extremamente suscetível às questões espirituais. Embora muitas vezes o ignoremos, nós ansiamos por um sentido maior. Sua ausência torna qualquer conquista volúvel, e a razão dessa conquista, inexplicável. No caso de Naomi Campbell e Kate Moss, ou mesmo de Kurt Cobain (citado no capítulo 4), o sucesso, antes de ser um fator positivo, tornou-se uma causa de isolamento. Quando não temos certeza dos nossos valores, quando somos incapazes de reconhecer a humanidade que existe por trás das nossas conquistas, vemos a nós mesmos como seres autônomos e desconectados do mundo, e o sucesso perde o sentido. Estabelecer um foco para nossa necessidade espiritual é a única coisa capaz de dar um sentido verdadeiro às nossas conquistas. Precisamos ter fé de que há uma razão maior pela qual estamos aqui. Ninguém consegue viver uma vida em toda a sua plenitude sem que ela tenha um sentido superior. Todos estamos aqui por uma razão. A pergunta é: por qual razão? E a resposta é diferente para todos. Porém, o certo é que estamos aqui para criar, expandir e compartilhar, e, nesse processo, o propósito nos diz o que fazer e o sentido, como fazê-lo.

No capítulo 2, contei um pouco da história de Viktor Frankl. Ele passou mais de três anos num campo de concentração. Perdeu esposa, pai, mãe, irmão e a maior parte dos seus amigos nas câmaras de gás. E, mesmo diante de tanta dor e sofrimento, ele decidiu que sua vida ainda tinha sentido. Lá mesmo, no campo de concentração, decidiu que o propósito de sua vida seria lutar para permanecer vivo e que, algum dia, ele sairia dali, contaria ao mundo todos os horrores pelos quais passou e, dessa forma, evitaria que isso se repetisse. Simplesmente por procurar um sentido, a vida se tornou um caminho digno, cheio de propósito, mesmo num campo de concentração. Foi esse mesmo foco que permitiu que a Toyota encontrasse uma forma perfeita de solucionar o problema que ela enfrentava. Se você soubesse o sentido do Lexus e mantivesse o foco nele, teria sido muito fácil encontrar a mesma solução. Afinal, o foco no sentido simplifica as coisas.

O conceito de felicidade

Em 2008, um repórter perguntou a Gisele Bündchen se ela era feliz. Ela não hesitou: "Ah, sou!", respondeu. "As pessoas perderam um pouco da realidade do que significa ser feliz. Eu era feliz no dia em que nasci e sou feliz até hoje porque tenho minha família, amigos, experiências que me tornam o que sou, e eu gosto de mim", disse ela. Esse é o sentido que ela deu para sua vida. A forma como nós pensamos sobre determinada situação é o sentido que atribuímos a essa situação. Nada tem sentido, exceto o sentido que nós damos. Siga, outra vez, o exemplo do Lexus. O que o erro significou? O erro teve o significado que eles mesmos deram e que está relacionado ao sentido superior da empresa.

Este é um conceito muito simples, básico, mas poderoso. Nossa habilidade para manter o foco adequado, de acordo com nosso propósito, e o sentido por trás do propósito, tem o poder de mudar nossa vida. O sucesso e a felicidade que alcançamos são resultados diretos de onde mantemos nosso foco. Não são os eventos que determinam as circunstâncias, mas o foco que damos aos eventos. A maneira como nos comunicamos com nós mesmos sobre uma situação. Em outras palavras, não é o que acontece, mas o que nós fazemos com aquilo que nos acontece que determina nosso estado emocional, sentimentos e reações. Por que você toma decisões? Para se sentir melhor. Mas somente nos sentiremos melhor se tivermos um propósito que guie nossas decisões. Muitos de nós somos pegos por não sabermos o motivo exato pelo qual tomamos decisões. Nosso caráter só se expande se for desafiado. Se você entender o motivo pelo qual está tomando uma decisão, você se sentirá mais seguro.

CAPÍTULO 9

O EFEITO PIGMALEÃO

Como a forma de pensar interfere nos resultados que você busca?

Em julho de 1999, um rumor numa escola de ensino médio na Bélgica provocou alvoroço no mundo inteiro. Tudo começou quando 42 crianças da cidade de Bornem passaram mal e tiveram de ser hospitalizadas. Todas elas apresentavam os mesmos sintomas: enjoo, tontura, dor de cabeça e diarreia. Questionadas sobre o que haviam ingerido, as evidências apontavam para uma única coisa em comum: Coca-Cola. E mais: elas alegavam ter sentido um cheiro estranho no refrigerante. A notícia rapidamente correu o país. Dois dias depois, oito crianças de uma cidade vizinha também foram internadas. No dia seguinte, mais treze. Em dez dias, o número havia subido para cem. Em meio à confusão de boatos, medo e ansiedade, o número já havia chegado a duzentas crianças em duas semanas, todas com os mesmos sintomas. A essa altura, a suposta contaminação já havia rompido as fronteiras da Bélgica e se espalhado por diferentes partes da Europa.

Numa atitude quase desesperada, uma equipe de pesquisadores da Coca-Cola dirigiu-se imediatamente às fábricas de onde a bebida havia saído. Após uma série de investigações, o que parecia ser o problema veio à tona. Duas fábricas, uma na Bélgica e outra na França, haviam usado gás carbônico inadequado, contendo sulfeto de hidrogênio, para gaseificar o refrigerante. Após a constatação, a Coca-Cola garantiu que seus produtos eram seguros, mas, com o surgimento de novas vítimas a cada dia, ninguém acreditou. Diante da crise, o governo belga obrigou a Coca-Cola a recolher todos os produtos da sua marca. Mais de 15 milhões de garrafas da bebida foram retiradas de bares, restaurantes e supermercados belgas.

Isso piorou ainda mais a situação. Quando o governo interdita um produto, forçando o recolhimento involuntário, sugere-se que a empresa responsável pela marca não tem mais controle sobre a situação. Nos dias seguintes, Luxemburgo, França, Suíça, Holanda, Alemanha e Espanha, países em estado de alerta, também exigiram que a empresa recolhesse do mercado os produtos saídos das fábricas em que ocorreu a contaminação. A decisão provocou um dos maiores *recalls* da história. Para a empresa, foi um desastre.

Sem compreender exatamente o que estava acontecendo, a Coca-Cola tomou medidas mais severas, mas não havia muito o que fazer. A equipe que investigou a suspeita de contaminação reafirmou sua posição inicial de que os produtos, mesmo aqueles fabricados nas duas fábricas suspeitas, eram seguros. De acordo com o resultado dos exames feitos pela Coca-Cola, a quantidade de sulfeto de hidrogênio era de cinco a dezessete partículas em 1 bilhão. Para causar qualquer sintoma, como os revelados pelas supostas vítimas, o sulfeto de hidrogênio precisaria estar presente numa concentração no mínimo mil vezes superior à constatada. A quantidade de sulfeto presente no refrigerante podia até ter alterado o cheiro da bebida, mas não havia possibilidade de que tivesse causado os sintomas que as crianças apresentaram. Se a tese defendida pela empresa estava correta, o que levara as pessoas, em diferentes pontos da Europa, a passar mal? O que realmente aconteceu no episódio da Coca-Cola?

Uma equipe de toxicologistas, coordenada por Ben Nemery, da Universidade Católica de Louvain, em Bruxelas, investigou paralelamente o incidente. No final, o grupo confirmou o que já havia sido anunciado pela Coca-Cola, ou seja, que o nível de contaminação encontrado no refrigerante não era suficiente para provocar os sintomas sentidos pelas vítimas. A essa altura, a história da contaminação já tinha causado um prejuízo de 60 milhões de dólares à Coca-Cola.

Se a contaminação não existiu, o que aconteceu? De acordo com Nemery e a equipe que investigou o incidente, os sintomas apresentado pelas pessoas foram resultados sintomáticos de uma histeria em massa causada pelo medo de uma possível contaminação. Em outras palavras, as pessoas beberam o refrigerante, sentiram o cheiro anormal causado pelo sulfeto de hidrogênio, tomaram conhecimento dos boatos de contaminação, imaginaram que estivessem contaminadas e passaram a sentir os mesmos sintomas anunciados na mídia.

A teoria de Maltz

O que isso significa? Essas pessoas estavam fingindo? Inventando sintomas? A resposta, de acordo com os médicos, é não. Os sintomas sentidos por essas pessoas eram absolutamente reais. Algum tempo atrás, um cirurgião plástico chamado Maxwell Maltz fez uma série de estranhas descobertas nesse sentido. Alguns anos após iniciar a prática de cirurgias, ele percebeu que a correção de um defeito estético podia afetar o caráter e a personalidade das pessoas. Muitas vezes, mudar a aparência física criava uma personalidade completamente nova. "Caso após caso, o bisturi que tinha em minhas mãos se tornou uma varinha mágica que não apenas mudava a aparência das pessoas, mas também sua personalidade", contou Maltz. "O tímido e o introspectivo se tornava extrovertido e corajoso. Aquele que era considerado estúpido e ignorante se tornava brilhante e cortês. Um vendedor que havia perdido a confiança em si virou modelo de autoestima."

Maltz conta que é fácil compreender a mudança dessas pessoas. Afinal, ele havia alterado algo que antes as fazia sentirem-se inferiores. Porém, havia outro grupo que o intrigava ainda mais. Diferentemente daqueles que mudavam sua personalidade, havia outros que não mudavam em nada. Mesmo após alterarem sua fisionomia facial por completo, eles mantinham o comportamento anterior como se nunca tivessem realizado a correção. Eles insistiam que a cirurgia não mudara em nada sua aparência. "Nesses casos, não importava a intensidade com que a fisionomia do paciente era alterada. Eles afirmavam, com desespero, que continuavam iguais. 'Você não fez nada!', diziam-me. Muitas vezes, os amigos e a família mal reconheciam o paciente, mostrando-se entusiasmados com o novo visual, mas o paciente se mostrava insatisfeito, insistindo que não conseguia perceber mudança alguma", contou ele. Maltz, então, apelava para o registros fotográficos, insistindo nas diferenças notáveis. Isso irritava os pacientes. "Por meio de uma estranha alquimia mental, o paciente racionalizava: 'É claro! Eu posso ver que a corcova não está mais no meu nariz, mas ele continua exatamente o mesmo!'"

O mistério intrigava Maltz. Se o bisturi era mágico para alguns, por que para outros, que tinham sua aparência alterada da mesma forma, nada significava? Por que eles saíam da sala de cirurgia cobertos pela velha personalidade, como se a correção nunca houvesse sido feita? Estas pessoas estavam mentindo? Esperavam um resultado melhor da cirurgia? Não, nem um pouco. As observações de Maltz ao longo dos anos o levaram a uma conclusão alternativa: a aparência física não é o fator determinante de neuroses, insatisfações, fracassos, medos e ansiedades como muitas vezes lhe é equivocadamente atribuída. Esses fatores estão muito mais relacionados ao ponto de vista psicológico. A cirurgia plástica só tinha um resultado efetivo se, além da mudança física, a pessoa tivesse outra, psicológica. "Se a imagem desfigurada não é removida da mente das pessoas, ela continuará agindo como se a cicatriz ou o aspecto indesejável em sua aparência ainda estivesse lá", explicou Maltz.

O mecanismo que cria uma histeria coletiva ou que afeta nossa autoestima após uma cirurgia plástica é o mesmo que define inúmeros outros fatores na nossa vida. Se, no dia a dia, ficamos às voltas com pensamentos de angústia, ansiedade e preocupação, por exemplo, a tendência será experimentar essas emoções. A manifestação física seguirá essa emoção num processo natural e inevitável. Da mesma forma como o medo de uma contaminação pode produzir em nós os mesmos sintomas de alguém que de fato se contaminou, sentimentos fortes que mantemos em relação ao nosso objetivo podem se manifestar fisicamente. Não estou querendo dizer que há uma relação mística entre um desejo e sua manifestação. O que quero dizer é que desejar profundamente alguma coisa estimula-nos a buscar todos os meios para concretizá-la. E, nessa relação, há um mecanismo de suporte mútuo, que, se quisermos, poderemos classificar como místico.

Anos atrás, os psicólogos Robert Rosenthal e Lenore Jacobson realizaram um estudo sobre como as expectativas dos professores afetam o desempenho dos alunos. Rosenthal e Jacobson concluíram que professores que têm uma visão positiva de seus alunos tendem a estimular o lado bom desses alunos, fazendo com que apresentem melhores resultados. Ao contrário, professores que não têm apreço pela classe adotam posturas que acabam por comprometer negativamente o desempenho dos alunos. Rosenthal chamou esse fator de Efeito Pigmaleão. O nome tem origem numa fábula do poeta romano Ovídio. Nessa fábula, Pigmaleão é um escultor que se apaixona por uma escultura que ele mesmo fez. A deusa Vênus recompensa Pigmaleão dando vida à estátua. O sentimento do artista foi capaz de mudar a condição da estátua. O Efeito Pigmaleão significa, portanto, o resultado de nossas expectativas, ou seja, como se realinhássemos a realidade de acordo com as nossas expectativas em relação a ela.

A influência dos Kennedy

Joseph Kennedy era filho de irlandeses católicos que imigraram para Boston, Massachusetts, por volta de 1840. Joe, como era conhecido, conquistou fama nacional e tornou-se um milionário no início do século XX. Durante a Segunda Guerra Mundial, ficou amigo de

Franklin Roosevelt, que o nomeou embaixador dos Estados Unidos na Inglaterra. Seu maior legado, porém, não foi sua fortuna ou sua fama, mas sua família.

Com sua esposa, Rosemary, Joe teve nove filhos. Três deles se tornaram senadores, e um deles, John Kennedy, tornou-se presidente dos Estados Unidos. De longe, a família de Joe foi a mais influente na história da política americana moderna. Joe construiu sua família de forma estratégica. Certa vez, ele disse que "a imaginação é a realidade", e a presidência dos Estados Unidos era a moldura que continha os sonhos de Joe.

Aos 14 anos, Valdir Bündchen escreveu um artigo para o jornal de sua escola. Seu objeto de pesquisa era a família Kennedy. Esse fato pode ser considerado a gênese do sucesso da família Bündchen. "Lembro que era atribuída a Joseph Kennedy, o chefe do clã, uma citação em que ele dizia que a importância de um homem na vida não se mede pela fortuna que ele acumula, mas pela família que forma", contou Valdir. "Talvez, de forma inconsciente, eu tenha desenvolvido uma relação com o desejo de ter uma família feliz. Isso passou a fazer parte do meu objetivo pessoal. Como era uma família de sucesso, acho que sempre pensei ter uma família assim. A frase dita por Joe foi minha grande referência", afirmou Valdir.

Não consigo deixar de ver uma similaridade extraordinária nas histórias de Joseph Kennedy e de Valdir Bündchen. Sabendo que Valdir teve a história de Kennedy como referência, temos uma prova concreta de que aquilo que pensamos e a forma como agimos é muito mais resultado de certas predisposições mentais do que queremos acreditar ou mesmo do que podemos perceber.

No caso da histeria coletiva, alguém ouve ou vê outra pessoa ficar doente. Ela descobre que o enfermo bebeu uma Coca-Cola com cheiro estranho. Logo se deduz que a causa dos sintomas é uma intoxicação. Então, ela lembra que também bebeu Coca-Cola e que o refrigerante também tinha um cheiro estranho. Ela fica com medo. O medo a torna ansiosa e angustiada. A angústia a enfraquece. Ela sente um mal-estar, seguido por tontura e dor de cabeça. A pressão sobe, a pessoa se sente fraca, o sistema imunológico se altera. Em pouco tempo, ela passa a sentir os mesmos sintomas. Outra pessoa ouve o boato sobre as duas pessoas contaminadas, passa pelo mesmo processo e obtém os mesmos resultados.

Ao estudar a família Kennedy, por exemplo, Valdir sentiu uma forte emoção positiva e desejou intensamente ter uma família similar. Então, ele passa a imaginar como seria bom ter uma família assim. Em seguida, percebe um vizinho que possui uma família grande. Ele observa e analisa se essa família tem princípios e valores positivos. Encanta-se com ela, torna-se próximo, aprende, capta as coisas que estão nas entrelinhas. Se, ao contrário, ele descobre uma família que não é como a que visualizou para si, ele observa o que não deve fazer. Dessa forma, esse desejo opera, mesmo inconscientemente, a favor dele. Esse mecanismo trabalha de forma natural e espontânea para atingir as metas estabelecidas. Não importa se elas são de fracasso ou de sucesso.

O Efeito Pigmaleão diz que certo tipo de expectativa, ao se tornar uma crença, provoca sua própria concretização. Quando as pessoas esperam ou acreditam que algo acontecerá, agem como se essa previsão já fosse real, e ela acaba por realizar-se efetivamente. Ao assumirmos algo como uma verdade, essa nova crença influencia nosso comportamento, seja por medo ou por confusão lógica, de modo que nossa reação acaba por tornar a profecia real. Compreender esse mecanismo pode significar a diferença entre o sucesso e o fracasso, entre uma vida de amor e de ódio, entre a amargura e a felicidade. Compreender esse mecanismo significa saber a diferença entre liberdade e conformidade. Ou seja, se mantivermos emoções positivas em nossa mente e se tivermos imagens positivas sobre o que buscamos, se vivermos na expectativa como se já tivéssemos alcançado esse objetivo, sentiremos emoções positivas. Nós não podemos olhar para uma situação futura e chegar a uma conclusão sobre quais serão seus resultados, mas podemos descobri-los através das nossas emoções.

Alguns autores, ao longo das últimas décadas, desenvolveram uma teoria para explicar esse processo. Eles se referem a ela como Lei da atração. De forma simplificada, a Lei da atração diz que, se possuir sentimentos de sucesso e autoconfiança, você agirá com sucesso e autoconfiança. Se o sentimento for intenso, você agirá de maneira intensa. Não importa em que direção, negativa ou positiva, esse sentimento estiver focado. A Lei da atração não é um estado místico nem misterioso. Ela é esse estado mental baseado na segurança que seu talento, orientado pela Lei da tripla convergência, lhe dá. Não tente criar estratégias externas e superficiais para colocar em funcionamento a Lei da atração, pois você vai apenas se frustrar. É muito mais simples e muito mais efetivo descobrir seu talento e definir uma meta clara e específica. Depois, imagine-se atingindo essa meta, de forma clara e vívida. Em seguida, capture o sentimento que você experimentaria se seu propósito fosse realizado. Se você desenvolver esse processo, agirá de forma espontânea e criativa. Então, você estará usando o poder da Lei da atração, que, na verdade, não é nada mais que a Lei da ação e reação em atividade — a ação interior criando uma reação externa. Se você estiver programado para o sucesso, a natureza se encarregará de supri-lo com ideias, ações e circunstâncias que o abastecerão para que cumpra sua meta. Há uma verdadeira magia nesse estágio. Ele pode fazer obstáculos e situações desaparecerem de forma inusitada. Pode transformar erros e falhas em eventos que o auxiliam a avançar no caminho.

Isso não é complicado nem místico. Nós repetimos esse processo a toda hora. O que é, por exemplo, a ansiedade de não ter dinheiro para pagar as contas no final do mês? O medo de não passar no concurso que tanto sonhamos? Todo sentimento de preocupação sobre resultados indesejados que possam vir a ocorrer no futuro? Em todas essas circunstâncias, nós sentimos, de forma antecipada, as mesmas emoções que sentiríamos se esses infortúnios já tivessem acontecido. De certa forma, vivemos numa constante zona do medo. Imaginamos o resultado negativo, vemo-nos numa situação desprivilegiada, de forma viva e cristalina, em todos os detalhes. Repetimos essa imagem mental inúmeras vezes. Não conseguimos dormir em função das emoções negativas que essa imagem nos traz. E, no fim, essas imagens se tornam reais. As pessoas bem-sucedidas realizam esse processo de maneira inversa. Elas sentem a mesma emoção, mas de forma positiva. A essência é permanecer orientado para sua meta. Você deve manter seu propósito em mente, de forma positiva, e atuar sobre seus pontos fortes, movendo-se em direção à sua meta. Se você conseguir fazer isso, a dedicação passará a agir como estímulo que, por sua vez, liberará forças adicionais para auxiliá-lo nesse processo.

O lado perverso do preconceito

Ao longo dos últimos anos, um número significativo de psicólogos passou a analisar mais de perto a influência que esse processo tem sobre nossas ações. Em cada minuto que estamos em contato com alguém, fazemos uma série de análises e predições sobre o que o outro está pensando e sentindo. Quando conhecemos alguém, ficamos em constante estado de alerta para descobrir se essa pessoa gostou ou não de nós. A relação se definirá de acordo com esses sinais. Se nossas emoções possuem um poder impressionante sobre nós, será que também possuem influência sobre os outros? Será que aquilo que pensamos e sentimos, mesmo quando não o expressamos em palavras, pode afetar outras pessoas? Um sentimento ruim pode afetar o desempenho de uma conversa?

Há não muito tempo, um grupo de psicólogos resolveu descobrir até que ponto nosso estado emocional pode interferir na formação de um preconceito em relação a uma pessoa mesmo antes de conhecê-la. No primeiro estágio da experiência, foram separados oito rapazes e oito moças, conduzidos a salas separadas por diferentes corredores. O orientador informou a cada um que participaria de um estudo sobre os processos de formação de conhecimento em relações sociais e que, para isso, teria de conversar com uma pessoa, por telefone, durante dez minutos. Em seguida, as moças tiveram de escrever uma breve biografia, relatando as características principais de sua personalidade. Essa biografia seria fornecida aos rapazes como informação sobre a pessoa com quem interagiriam e serviria como estímulo para iniciar uma conversa.

Aos rapazes foi explicado que receberiam uma breve descrição do caráter e da personalidade de suas interlocutoras e uma fotografia da pessoa com quem falariam. Um detalhe importante: a biografia era verdadeira, mas a fotografia, não. A equipe havia tirado fotografias de vinte moças de diferentes universidades e submetido essas fotos à avaliação de vinte rapazes, todos com a mesma idade das moças. Cada um desses vinte rapazes foi convidado a dar uma nota de um a dez para cada foto, de acordo com a beleza da moça retratada. Depois, a equipe selecionou as quatro fotos que tiveram a votação mais alta e as quatro fotos com a votação mais baixa. Essas fotos foram anexadas às biografias das mulheres que participavam do estudo e distribuídas entre os homens. Todos acreditavam que a foto mostrava a pessoa com quem falariam. Nenhuma mulher sabia que os homens haviam recebido fotografias junto com as biografias.

Após ler a biografia e olhar a fotografia, os homens tiveram de preencher um formulário definindo suas expectativas sobre uma conversa com aquela mulher. Os homens que receberam fotos das mulheres mais bonitas alimentavam uma expectativa positiva e disseram que acreditavam que a mulher seria simpática, sociável e carismática. Os homens que receberam fotos de moças menos atraentes, ao contrário, disseram acreditar que sua interlocutora seria casmurra, antipática e antissocial. Depois, os rapazes ligaram para as moças e conversaram durante dez minutos.

A equipe de pesquisadores gravou as conversas em diferentes canais: num canal, gravou apenas a conversa das moças, em outro, a conversa dos rapazes. Para fazer uma análise do resultado das conversas, a equipe montou um júri de doze acadêmicos de psicologia. Ao júri, foi fornecida apenas a conversa das moças e solicitado que preenchesse um formulário idêntico ao que havia sido preenchido pelos homens minutos antes de sua conversa com as mulheres. O júri não tinha nenhum conhecimento do método da pesquisa e apenas avaliaria a impressão que a voz e o conteúdo da conversa das moças lhe causou, preencheria o formulário e o entregaria à equipe de pesquisadores.

No final da análise, o grupo de pesquisadores comparou os dois formulários de cada uma das oito moças, ou seja, cruzaram o que os rapazes haviam preenchido sobre suas impressões e expectativas após lerem a biografia e observarem a foto da moça, antes de falar com ela, e a avaliação feita pelo grupo de estudantes de psicologia após ouvir as falas das moças nas conversas.

Após a avaliação dos dois formulários, a equipe constatou que, em todos os quadros, as respostas eram idênticas, ou seja, a impressão que o rapaz havia tido da moça, apenas olhando a fotografia, mesmo sendo falsa, foi a mesma impressão que a equipe de estudantes de psicologia teve ao ouvir a forma como a moça dirigiu-se ao rapaz. Isso quer dizer que as moças corresponderam exatamente às expectativas que os homens haviam criado olhando para fotografias falsas. Como isso pode ser explicado?

Não complique

No capítulo 5, a Lição de Delfos nos ensinou que, muitas vezes, criamos imagens de nós mesmos e passamos a incorporá-las. O Efeito Pigmaleão nos diz que isso também acontece com as emoções. Quando antecipamos nossa impressão sobre os outros, essa impressão acaba se confirmando. Por isso, o que pensamos como livre-arbítrio não é, exatamente, uma escolha. O livre-arbítrio é muito mais um conceito que diz respeito sobre as escolhas que fizemos na hora de fazer nossas escolhas. Se tudo depende da forma como vemos as coisas e se a forma como vemos as coisas é resultado da estrutura mental que criamos, o Efeito Pigmaleão nos diz que a realidade que queremos se manifestará fisicamente se tivermos uma estrutura adequada a essa realidade. Se nós tivermos o sistema adequado, não precisaremos, a toda hora, estar conscientes do que queremos. Isso nos virá de maneira automática.

A Lei da atração não funciona para nós porque não temos a programação mental adequada para usufruir dessa lei. Nossa programação vem de valores profundamente enraizados, de crenças e de conclusões que aceitamos como verdades, ou seja, de nossas convicções, discutidas no capítulo 7. Muitas convicções são desenvolvidas ao longo da infância, principalmente entre 3 e 8 anos. E é dessa programação que vem nossa fé, nossa convicção do que é ou não possível. A fé, então, é uma força, uma energia que vem das nossas convicções. Ela é a expressão das nossas crenças mais profundas e brota da intrincada rede mental que formamos ao longo da vida. Por isso, se tivermos uma programação mental negativa, nossa ação, por consequência, será negativa, e sua reação, por lei, também será negativa.

Nossas convicções, por essa razão, são muito mais fortes do que nossa força de vontade. Mesmo que desejemos muito uma reviravolta na nossa vida, são as convicções que determinarão o trajeto. "Acredito que também foi assim com Gisele, que algo a fez acreditar que podia, que seria a melhor no queria fazer", disse Valdir Bündchen.

Portanto, para usufruir a Lei da atração, precisamos trazer nossas convicções à tona, tomar consciência da nossa programação inconsciente, do nosso legado cultural, e alterá-la. Imaginar-se atraindo coisas boas, se suas condições mais íntimas não condizem com a realidade que busca, é um caminho rápido e certo para a frustração. Porém, quando a programação mental e o desejo estão alinhados no mesmo propósito, verdadeiros milagres podem se manifestar num toque de mágica. Impressionante ou não, quando Arnold Schwarzenegger, casado com uma neta de Joseph Kennedy, decidiu concorrer ao cargo de governador da Califórnia, o senador Ted Kennedy deu um único conselho a Schwarzenegger: "Não complique", disse Ted.

Agora, perceba uma relação estranha: recentemente, ao falar do "jeito Gisele de ser", a modelo revelou que a inspiração para sua vida é ser simples. Você percebeu a relação? Isso não significa que há uma ligação mística entre os personagens. A explicação é óbvia. A razão por que ambos chegaram à mesma receita é terem seguido o mesmo processo de desenvolvimento. O caminho do sucesso, apesar das suas infinitas variáveis, tem sempre a mesma base.

Esse processo se estrutura em dois conceitos específicos. O primeiro diz respeito à forma como vemos a nós mesmos. Quando nos vemos sob um ponto de vista negativo, identificados com nossas fraquezas, nós nos autorizamos a ser assim — fracos, limitados e negativos —, o que reduz significativamente nossas escolhas e nossa autoconfiança. O segundo conceito diz respeito a como vemos os outros. Se o fizermos de modo negativo, teremos respostas negativas; se o fizermos de forma positiva, as respostas serão positivas. Ao longo da vida, quem acredita nas pessoas e nas circunstâncias emite sinais positivos, criando relações sólidas e circunstâncias positivas. Já aqueles que, dia a dia, olham para os outros e para as circunstâncias com uma visão negativa emitem mensagens de descrença e afastamento, fazendo com que os outros nunca possam mostrar o melhor de si. Com o passar do tempo, esses dois caminhos se distanciam mais e mais, definindo o rumo do sucesso e do fracasso.

A vantagem de ser otimista

Uma pessoa otimista realmente consegue ter um desempenho melhor do que outra que se diz realista? Em 1991, o professor de psicologia Charles R. Snyder, da Universidade de Kansas, nos Estados Unidos, avaliou a influência do estado de otimismo no desempenho de seus alunos. Ele propôs a seguinte situação para um grupo de estudantes: em determinada disciplina, o professor fará três testes de avaliação ao longo do semestre. A nota final será a média alcançada nas três provas. O sistema de avaliação vai de A até F, sendo A a nota máxima, C, a média, e F, a mínima. Essa disciplina é considerada de suma importância para a carreira. Por isso, espera-se alcançar, no mínimo, a nota final B. Porém, quando o participante recebe o resultado da primeira avaliação, sua nota é um D. Em seguida, o pesquisador pede para que o aluno faça de conta que já passou uma semana desde que recebeu a nota e pergunta como acha que estaria seu estado emocional em relação à meta inicial de ter a nota B como média final.

1. O nível de esperança em atingir a meta se manteria elevado.
2. O nível de esperança em atingir a meta cairia, mas ainda existiria.
3. O nível de esperança cairia a praticamente zero.

Após obter a resposta dos alunos, Snyder avaliou o histórico desses estudantes e acompanhou seu desempenho em atividades profissionais e escolares durante vários anos. No final do estudo, Snyder constatou que os alunos que ficaram no primeiro grupo se mostraram mais dedicados. Eles buscavam diferentes alternativas para suprir suas deficiências e apresentaram melhores resultados em suas carreiras. Os alunos do segundo grupo apresentaram certo envolvimento na busca de soluções para seus desafios, mas não tiveram a mesma dedicação e persistência que o primeiro. Seu desempenho final ficou aquém do atingido pelos seus colegas. O alunos do terceiro grupo, que disseram que perderiam a esperança, tiveram o pior desempenho em todas as áreas de suas carreiras. "Quando se comparam alunos com aptidões intelectuais equivalentes o que os distingue é o nível de esperança e otimismo que possuem em relação a seus resultados finais", afirmou Snyder. "Os alunos com alto nível de esperança e otimismo estabelecem metas mais elevadas e são mais persistentes na busca de alternativas para atingi-las. E, geralmente, o conseguem", explicou. Pessoas com um elevado nível de otimismo têm certos traços comuns que as distinguem das demais. Entre esses traços, destaca-se o poder de automotivação, a confiança de possuírem as capacidades necessárias para realizar seus propósitos e a flexibilidade para adaptar-se e solucionar situações difíceis. O otimismo não é apenas um sentimento ilusório de consolo que nos permite seguir adiante em meio a frustrações cotidianas. Ele também é uma das principais diferenças entre aqueles que atingem seus objetivos e aqueles que fracassam.

Pense sobre Tom Mann

Até aqui, avaliamos inúmeras questões relacionadas ao sucesso. Vimos a importância do talento e a necessidade de definir um propósito dentro da área de nossas habilidades. Também analisamos a importância das nossas convicções. Pense, agora, num único aspecto da nossa personalidade, que, de forma isolada, possa ser considerado o mais importante numa vida repleta de sucesso. Qual fator você escolheria?

Na década de 1990, Thomas Stanley, professor da Universidade da Geórgia, e seu colega William Danko realizaram um estudo com cerca de mil milionários americanos. A intenção de Stanley e Danko era descobrir qual, na opinião desses milionários, eram as virtudes fundamentais para que as pessoas se dessem bem na vida.

No topo da lista, apareceu o aspecto integridade, do qual já falei no capítulo 8. Em segundo lugar, a disciplina. Contudo, não é difícil constatar que inúmeras pessoas altamente disciplinadas não necessariamente apresentam grandes resultados. Então, de que tipo de disciplina esses milionários estavam falando? Stanley e Danko resolveram analisar essa questão mais a fundo e chegaram à conclusão de que os milionários se referiam à disciplina mental.

Stanley descreveu uma experiência que teve com Tom Mann, um lendário especialista em pesca esportiva. Mann inventou inúmeras variedades de iscas artificiais que se tornaram famosas entre pescadores do mundo inteiro. Ele também era conhecido por suas pesquisas sobre peixes e por seu talento em pescar. Mann conquistou várias vezes os mais importantes campeonatos de pesca americanos. "Tive o prazer de ouvi-lo debater os grandes fatores na arte da pesca, mas ele não falou das iscas que ele inventou", escreveu Stanley. Segundo ele, Mann, ao contrário, dizia que a melhor isca para pegar peixe é aquela na qual o pescador tem mais confiança. "Se o pescador tem confiança na isca, ele vai pescar com confiança. Ele vai pegar o peixe se acreditar na sua isca", explicara Mann. Stanley disse que as palavras de Mann abriram um túnel em sua memória. "Eu pesco desde os 7 anos, mas não me lembro de um único peixe que eu tenha pescado sem ter a plena confiança de que usava uma isca perfeita para atrair os peixes. Eu não pude lembrar-me de uma única exceção", disse Stanley.

Dessa lição de pesca, Stanley trouxe os conceitos de otimismo e de confiança para suas pesquisas. "É assim com o sucesso que obtemos na vida. Se você não tem autoconfiança, será difícil tornar-se bem-sucedido, porque será extremamente complicado ficar motivado. Se você não acredita em você, não vai acreditar naquilo que faz, e, dessa forma, comunicará sua falta de confiança aos outros." Das milhares de entrevistas com milionários, Stanley concluiu que, muitas vezes, a autoconfiança é, por si só, a principal razão pela qual as pessoas triunfam na vida.

No início de sua carreira como professor de marketing na Universidade da Geórgia, Stanley foi colega de David Schwartz. Schwartz tornou-se um best-seller internacional com o livro *A mágica de pensar grande*. Numa conversa entre os dois, Stanley perguntou a Schwartz qual é a lição mais importante para vencer na vida. "Você pode escolher entre pensar negativo ou positivo", respondeu Schwartz. "O ser humano só consegue ter um pensamento por vez. Se esse pensamento é negativo ou positivo, é uma escolha de cada um." Depois, acrescentou: "Você quer ser uma pessoa negativa ou positiva?".

Todos sabemos que temos de ser otimistas, mas é preciso saber de onde vem o verdadeiro otimismo. Valdir não disse para suas filhas que deveriam sorrir e ser positivas. O que ele fez foi criar uma estrutura interna, um sistema de convicções, princípios e valores que fizesse com que elas se tornassem espontaneamente entusiasmadas e otimistas. E como se constrói isso?

Imagine que você tem um veículo com problemas no motor. Você precisa desse veículo para fazer uma viagem amanhã. O que você faz? Você levaria o automóvel para uma lavagem ou para um polimento? Ou você o levaria a uma oficina para efetuar um conserto? Esse exemplo pode parecer estranho, óbvio ou até mesmo ingênuo. Mas quais são as recomendações mais conhecidas para elevar a autoestima? Comprar roupa nova, ir a um salão de beleza, e assim por diante. Tudo isso ajuda, mas é como polir o carro na intenção de resolver um problema no motor. Isso até pode produzir um efeito imediato nas nossas emoções, mas será apenas temporário.

Se tudo que você fizer for tentar agir de forma positiva, otimista e entusiasmada, mas, por dentro, sua programação estiver lhe dizendo o contrário, esse foco consciente no otimismo destruirá sua autenticidade. Internamente, sentirá que está agindo com falsidade, e o resultado estará de acordo com o que sente. Você não pode, pelo menos por muito tempo, provocar um estado de otimismo de forma consciente. O otimismo deve brotar das suas convicções, dos seus valores, dos fundamentos que você estabeleceu para sua vida. Para que isso seja possível, você deve estar programado para o sucesso. Não conseguimos ser otimistas usando apenas a força de vontade, porque levantamos certo dia e decidimos ser otimistas. Qualquer emoção, para ser autêntica, precisa ter uma estrutura verdadeira, que esteja de acordo com ela. Decidir ser um otimista se todas as nossas convicções são formadas por conceitos negativos apenas nos levará a uma frustração ainda maior.

Só há uma forma de sentir-se autoconfiante: atuar onde está seu talento, sua habilidade. Suponha que você conheça seu talento, que já tenha definido um propósito com base nos três fatores que compõem a Lei da tripla convergência e que já tenha enfrentado inúmeros desafios, superando todos eles. Então, você estará confiante, pois saberá onde e com o que está lidando. Suas emoções serão de segurança e de autoconfiança, e suas ações seguem o mesmo caminho. Nesse caso, é fácil deduzir que o otimismo será natural.

A questão fundamental sobre o otimismo é que ele emerge de forma natural. Pessoas otimistas não tentam, de forma deliberada, ser otimistas. Elas simplesmente são otimistas porque alguma parte da sua personalidade expressa o que elas verdadeiramente sentem, de forma automática, inconsciente, ou seja, a forma como elas foram programando sua estrutura interna. Outra coisa sobre o otimismo é que ele se revela mesmo nas coisas mais insignificantes do dia a dia. O otimismo não muda nem desaparece em certas ocasiões e não se manifesta apenas com certas pessoas ou situações, em certas palavras ou frases. O otimista é estável. Basta passar alguns segundos com uma pessoa otimista para captar seu estado de espírito.

O simples fato de estar atuando onde você sente que tem um talento especial, de estar apaixonado pelo que faz e de ter um objetivo fará com que o entusiasmo surja de forma espontânea. Em vez de ser uma encenação superficial, ele aflorará de forma autêntica e natural. Os três fatores — talento, paixão e renda —, por si só, são capazes de ativar todo o otimismo necessário para vencer na vida. Em outras palavras, o otimismo é uma manifestação do estado de confiança interno que surge de uma situação de conforto em relação ao que você é. E isso só pode ser sentido, e manifestado, se você sabe quem é e age segundo seu eu interno. Quando ocorre o contrário, quando uma emoção positiva é criada por um estímulo superficial, pela roupa nova ou pelo corte de cabelo, ela inevitavelmente se confrontará com o sentimento firme de insegurança que nasce do seu interior.

É esse fator que torna a Lei de Delfos, discutida no capítulo 5, tão importante. Descobrir sua autoimagem revela todas as discrepâncias que as pessoas carregam consigo. Ela é o denominador comum, o fator determinante em todos os casos de sucesso e de fracasso. Para estar plenamente satisfeito, você precisa se aceitar, precisa ter uma autoimagem real, na qual confie plenamente. Você precisa ter respeito por si próprio. Sentir-se livre para expressar sua criatividade em vez de se recolher por medo da rejeição. Você precisa conhecer a si mesmo, tanto os pontos fortes como os fracos, e ser honesto em relação aos dois. Quando você é o que é, não perde tempo criando impressões e não tenta se convencer buscando histórias no passado ou inventando projeções irreais e inseguras para criar um eu imaginário. Sua autoimagem precisa ser exatamente quem você realmente é, nem mais, nem menos. Quando sua autoimagem é real, autêntica, você se sente seguro. Quando lida com criações mentais, você se sente ameaçado e inseguro e prefere não se expor para não ser desmascarado em sua farsa.

SÍNTESE

No capítulo 7, sugeri que você imaginasse um extrato das suas convicções. Você se lembra do conteúdo desse extrato? Agora, suponha que você possa obter um extrato que descreva exatamente a situação em que você se encontra. Qual seria a relação entre esses dois extratos? Qual é sua convicção sobre dinheiro e como ela se manifesta? E sobre seus relacionamentos? E sobre sua saúde? E sobre seu corpo? Se você fizer essa experiência, verá que o segundo extrato será o resultado acumulativo do primeiro. O Efeito Pigmaleão nos diz que somos um reflexo das nossas convicções. Se quisermos alterar nossa realidade, precisamos alterar primeiro as nossas convicções.

CAPÍTULO 10
OS ANOS DE SILÊNCIO

Quando o sacrifício e a dedicação são os fatores mais relevantes para alcançar o sucesso

Em 7 de fevereiro de 1964, 3 mil pessoas aguardavam ansiosas a chegada dos Beatles ao aeroporto de Nova York. Era a primeira vez que a banda inglesa ia aos Estados Unidos. Dois dias depois, o grupo fez sua primeira aparição, ao vivo, num programa de televisão. A apresentação da banda foi vista por 74 milhões de telespectadores. Na época, esse número representava metade da população norte-americana. A *beatlemania*, que já havia tomado conta da Inglaterra, invadia os Estados Unidos. Sabemos muito bem como a história se seguiu. Mas o que sabemos, de fato, sobre a trajetória da banda antes do estrelato? Afinal, o que tornou os Beatles o maior fenômeno musical da história?

Um estudo realizado no início da década de 1990 poderá ajudar-nos a compreender melhor esse fenômeno. Um grupo de psicólogos liderado pelo psicólogo sueco K. Anders Ericsson decidiu investigar o motivo que faz com que algumas pessoas se tornem tão excepcionais no que fazem. Para buscar essa resposta, a equipe analisou a carreira de alguns violinistas da Academia de Música de Berlim. Eles separaram os músicos em três grupos. No primeiro, colocaram as estrelas, ou seja, os violinistas reconhecidos internacionalmente. No segundo grupo, reuniram os que eram considerados apenas bons. Estes estavam num nível inferior ao primeiro grupo, mas eram profissionais experientes e com ótimo desempenho. No terceiro grupo, incluíram aqueles que nunca chegaram a tocar como profissionais, ou seja, aqueles que se tornaram professores de música. A equipe de pesquisa realizou, então, um minucioso levantamento para saber quanto tempo, por dia, cada músico havia dedicado à prática do violino ao longo da carreira.

A primeira conclusão a que a equipe chegou foi que todos os violinistas começaram a tocar mais ou menos na mesma época, em torno dos 5 anos de idade. Nessa fase inicial, praticavam por um tempo quase idêntico, de duas a três horas por semana. Por volta dos 8 anos, diferenças reais começaram a surgir. Os melhores violinistas, que compunham o primeiro grupo, passaram a se dedicar mais do que os outros: seis horas por semana aos 9 anos; oito horas por semana aos 12; dezesseis horas por semana aos 14 e assim por diante. Aos 20 anos, praticavam — isto é, tocavam de forma compenetrada com o objetivo de melhorar — bem mais do que trinta horas semanais. Nessa idade, os músicos do primeiro grupo haviam totalizado 10 mil horas de treinamento; os meramente bons, 8 mil horas; e os professores de música, o último grupo, pouco mais de 4 mil horas. A conclusão óbvia foi que a diferença nos resultados era diretamente proporcional ao tempo dedicado à prática do instrumento ao longo dos anos.

Em seguida, Ericsson e seus colegas realizaram a mesma análise com um grupo de pianistas. Ao comparar pianistas amadores e profissionais, identificaram um padrão idêntico ao encontrado nos violinistas. Os pianistas amadores nunca haviam praticado mais do que três horas por semana durante a infância, e, com o passar dos anos, mantiveram ou reduziram o tempo de prática. Os profissionais, por outro lado, foram aumentando o tempo de treinamento a cada ano até que, aos 20 anos, haviam alcançado, em média, o mesmo tempo de prática revelado no estudo com os violinistas, ou seja, 10 mil horas. Mais uma vez, a conclusão foi clara: o que distingue duas pessoas que têm talento ou capacidade suficiente para ingressar numa escola de alto nível é seu grau de esforço. A conclusão da equipe de pesquisa em outras palavras é que a diferença entre aqueles que alcançaram um sucesso notório e os demais reflete o tempo dedicado, ao longo da vida inteira, a esforços deliberados para melhorar o desempenho em uma área específica. Para se tornar uma estrela, por exemplo, são necessárias 10 mil horas de prática. Mas será que é somente isso? Até onde essa ideia se sustenta? Vamos colocá-la em xeque com um dos exemplos preferidos da corrente de estudiosos que se baseiam nesse estudo para negar a existência do talento nato: os Beatles.

O milagre de Hamburgo

Os Beatles emergiram da banda Quarrymen, criada em março de 1956 por John Lennon com alguns colegas de escola da Quarry Bank Grammar School, de Liverpool, na Inglaterra. Lennon, na época, tinha 17 anos. Sua experiência com música era pouca. Ela se restringia a algumas noções rudimentares que lhe haviam sido passadas pela própria mãe. No dia em que completou 15 anos, ele ganhara um violão do seu tio. A partir daí, passara boa parte do tempo aprendendo a tocar o instrumento. Algum tempo depois, como qualquer estreante, começou a se apresentar em bares nos arredores de Liverpool.

Em 1957, num show no pátio de uma igreja, Ivan Vaughan, amigo de Lennon, convidou outro amigo, Paul McCartney, para ver a banda. Depois do show, Ivan apresentou McCartney ao grupo. Paul, depois de conversar com os membros da banda, pegou o violão de Lennon, afinou as cordas (coisa que Lennon ainda não sabia fazer com eficiência) e tocou alguns acordes. O grupo ficou impressionado com a habilidade dele. Dias depois, Lennon encontrou McCartney e perguntou se ele não queria fazer parte da Quarrymen. "Parece divertido", disse McCartney, que passou a integrar a banda. George Harrison juntou-se a eles em março do ano seguinte. E, por um longo tempo, a banda tocou nos bares e clubes de Liverpool. Observe que, até aqui, o processo de formação dos Beatles não se distingue em nada do que acontece com milhares de bandas das quais você e eu nunca ouviremos falar.

Ao longo de 1959, a Quarrymen sofreu algumas mudanças. Com a chegada de McCartney e Harrison, outros integrantes decidiram deixar a banda. Isso levou à extinção da Quarrymen. A nova banda, agora composta apenas por Lennon, McCartney e Harrison passou a se chamar Johnny & the Moondogs. No início de 1960, sentindo que a banda necessitava de um baixista, Lennon convenceu um colega da faculdade de arte, Stuart Sutcliffe, que havia arranjado um bom dinheiro com a venda de uma tela que pintara, a comprar um baixo. Apesar de não saber tocar, Stuart adquiriu o instrumento e passou a integrar a banda. Allan Willians, promotor de eventos e dono de um bar onde a banda tocava, começou a assessorar o grupo. Willians sugeriu que a banda contratasse um baterista e trocasse de nome. De uma ideia de Lennon e Stuart, surgiu o nome The Beatles.

Ainda em 1960, entretanto, tudo mudaria. Allan Willians, que agora era o empresário oficial da banda, conhecia um homem chamado Bruno Koschmider, proprietário de uma boate em Hamburgo, na Alemanha. Bruno precisava de bandas de rock para animar sua boate. Havia um detalhe, porém: o que Bruno chamava de boate era, na verdade, uma casa de striptease. Hamburgo, na época, era um dos mais importantes portos da Europa e atraía os mais diferentes tipos de pessoas. Essas casas ofereciam espetáculos ininterruptos. Era para tocar nesse ambiente de prostitutas, marinheiros, sexo e drogas que Bruno buscava as bandas inglesas. Os Beatles concordaram em ir. Entre meados de 1960 e o final de 1962, a banda fez cinco excursões para Hamburgo.

Quando deixaram Liverpool pela primeira vez, em 1960, os Beatles eram considerados uma banda medíocre, meramente regular. Após o primeiro show em Hamburgo, Bruno, o proprietário da boate, pareceu desolado. "Se rock'n'roll é para ser agitado, por que vocês ficam parados o tempo todo?", reclamou ele. "Façam um show, se mexam, dancem ao ritmo da música, ajam como se estivessem se divertindo", disse ele. Os Beatles seguiram o conselho de Bruno e, quando retornaram para Liverpool depois da primeira excursão, a mudança foi visível. "Antes, eles não eram disciplinados no palco. No entanto, quando voltaram, estavam tocando de um modo incomparável. Foi a formação deles", escreveu Philip Norman, autor da biografia do grupo. O próprio John Lennon reconheceu o papel fundamental que a experiência em Hamburgo teve na vida do grupo. "Em Hamburgo, melhoramos e ficamos mais confiantes", disse ele anos depois. "Isso foi inevitável com aquela experiência de tocar durante a noite inteira. Ter uma plateia estrangeira também ajudou. Precisávamos nos esforçar ao máximo, precisávamos colocar nosso coração e nossa alma naquilo para podermos chegar até o fim."

Qual foi o milagre que aconteceu com os Beatles em Hamburgo? A resposta parece vir ao encontro da teoria de Ericsson, ou seja, ter sido resultado das longas e incansáveis horas de prática. A primeira viagem que os Beatles fizeram a Hamburgo, em 1960, iniciou-se em 17 de agosto e terminou em 30 de novembro. Durante esse período de 105 dias, os Beatles fizeram 106 apresentações, com uma média superior a cinco horas por apresentação. Na segunda turnê, a banda ficou por lá durante noventa dias. Nesse período, fizeram 92 shows, somando 503 horas no palco. Na terceira excursão, o grupo se apresentou 48 vezes, ficando 102 horas no palco. Os últimos dois períodos em Hamburgo, em novembro e dezembro de 1962, envolveram mais de noventa horas de exibição. Somando todas as apresentações realizadas apenas em Hamburgo, entre agosto de 1960 e dezembro de 1962, os Beatles tocaram 270 noites, permanecendo em torno de 1.250 horas no palco.

Imagine o que isso representou em termos de desenvolvimento e lapidação do talento musical e artístico do grupo. Se os Beatles tivessem ficado em Liverpool, a história talvez tivesse sido outra. Em Liverpool, as apresentações eram raras e, em média, de apenas uma hora. Nessas ocasiões, apresentavam apenas suas melhores músicas, sempre as mesmas. Com as excursões para Hamburgo, a partir de meados de 1960, os Beatles se apresentaram cerca de quatrocentas vezes por ano, mais de uma vez por dia. "Em Hamburgo, eles não aprenderam apenas a ter resistência... Tiveram de aprender também uma quantidade imensa de músicas: versões *cover* de tudo o que você possa imaginar, não apenas rock'n'roll, mas até mesmo jazz", escreveu Norman.

O que ninguém explica sobre a Teoria das Dez Mil Horas

A essa altura, parece claro que, se busca o sucesso em qualquer área, você precisa de inúmeras horas de dedicação ao aperfeiçoamento do seu talento. O professor John R. Hayes, do Departamento de Psicologia da Universidade Carnegie Mellon, chamou esse período de anos de silêncio. Assim como Ericsson, Hayes também concluiu em seus estudos que praticamente todas as pessoas bem-sucedidas passam por um longo período de silêncio antes da produção de trabalhos mais significativos. Em qualquer carreira, as atividades desenvolvidas durante esse período são fundamentais. É nesse período que as pessoas constroem a estrutura sobre a qual será desenvolvido o sucesso posterior. E isso, de fato, parece ser uma regra geral. Hayes, por exemplo, examinou com minúcia o trabalho de 76 compositores de renome internacional. Das quinhentas composições musicais avaliadas, apenas três foram compostas antes de dez anos de carreira do artista. E mesmo essas três foram compostas no oitavo e no nono anos.

Mozart é um exemplo prático. Ele é considerado por muitos um gênio virtuoso que nasceu com a música nas veias. Mozart compunha aos 5 anos. Fazia apresentações públicas, como pianista e violinista, aos 8. Ao falecer, aos 35 anos, havia composto uma centena de obras, muitas consideradas as melhores já produzidas. Com um sucesso tão prematuro é difícil imaginar que deve haver espaço

OS ANOS DE SILÊNCIO

para o que Hayes chamou de anos de silêncio. Porém, apesar de ser venerado como uma criança prodígio, muitos críticos afirmam que Mozart produziu suas obras mais influentes somente depois de ter acumulado mais de vinte anos de prática. O psicólogo Michel Howe, por exemplo, afirma que as obras iniciais de Mozart, se considerados os padrões de compositores experientes, não possuem nada de excepcional. Além disso, diz-se que as primeiras peças atribuídas ao músico foram escritas por seu pai e certamente aperfeiçoadas ao longo do processo. Entre os concertos que só contêm músicas originais de Mozart, o primeiro que foi considerado uma obra-prima só foi criado quando ele tinha 21 anos. "Àquela altura, Mozart vinha compondo concertos havia dez anos", escreveu Howe.

Além dos compositores, John Hayes também analisou a vida de mais de cem pintores e comprovou o mesmo padrão. Entre o início da carreira e a produção de uma obra-prima havia, em média, um período de cerca de seis anos. Aqui, outra vez, mesmo pintores mais precoces, como Pablo Picasso, enquadram-se nesse padrão. Picasso começou a pintar sob a tutela de seu pai, que também era pintor, por volta dos 9 anos, mas só produziu seu primeiro trabalho notável depois dos 15 anos. O mesmo se sucede na poesia. Em sua tese de doutorado, a psicóloga Nina Wishbow analisou a vida de 66 poetas que possuem pelo menos um poema incluído em antologias notáveis. A conclusão foi a mesma observada nos estudos anteriores: nenhum poema notável foi escrito antes da primeira publicação do poeta ter completado cinco anos de trajetória. A maioria desses poetas, 55 deles, precisou de mais de dez anos para conseguir publicar algo notável.

O que acontece durante esse período chamado por Hayes de anos de silêncio? A resposta pode ser encontrada em palavras de Gisele Bündchen. Em 1999, fazendo uma retrospectiva de sua carreira, ela afirmou: "Tem uma parte da minha vida, dos 16 aos 20 anos, da qual eu não tenho muitas lembranças, a não ser do avião, da mala e do trabalho". Os quatro anos de que Gisele fala são o intervalo entre o início de sua carreira, outubro de 1994, até a conquista do Prêmio Phytoervas em 1998. "Chegou uma época, quando eu estava com 21 anos, que eu falei: 'Meu, eu estou exausta!' Eu não tinha um tempo meu, era só trabalho. Eu parecia um trem que engatou uma quinta e foi!", disse ela. Entre 1998, ano em que foi lançada ao estrelato, e o final de 2002, Gisele passou mais de 13 mil horas diante de uma câmara fotográfica. Nesse período, realizou seiscentos desfiles, vestiu 4.800 modelos de roupas e percorreu cerca de duzentos quilômetros, metade do percurso entre o Rio de Janeiro e São Paulo, nas passarelas.

Partindo dos estudos feitos por Ericsson e Hayes, inúmeros autores, como os americanos Malcolm Gladwell e Geoff Colvin, passaram a desqualificar o talento como uma característica fundamental para atingir o sucesso, atribuindo um grau quase absoluto à prática. Esses autores, porém, incorrem num erro muito comum ao confundirem causa com consequência. Se a diferença nos resultados está no tempo de prática, o que define a decisão de algumas pessoas de praticar mais do que outras? Esses autores consideram os longos anos de prática como causa do sucesso, mas não percebem que os anos de silêncio, antes de serem uma causa, são uma consequência. Qual é o motivo, por exemplo, que faz com que algumas pessoas, de modo sutil, passem a se dedicar menos, enquanto outras, num caminho inverso, ampliem suas horas de dedicação? Será que a resposta para essa pergunta não é o talento?

O que, então, aconteceu com Stuart Sutcliffe?

Se a prática faz a diferença, o que leva algumas pessoas a enfrentarem o sacrifício de longos anos enquanto outras desistem? Para entender essas diferenças, precisamos retomar o conceito da Lei da tripla convergência, que apresentei no capítulo 3, e analisar os três fatores que a compõem: talento, paixão e renda. Para definir um propósito que constitua o núcleo de nosso potencial, devemos compreender onde está nosso talento, qual é nossa paixão e o que estimula nossa ação. São esses três fatores que farão com que tenhamos persistência, ou não, para sobreviver aos anos de silêncio. Lembre-se: o talento tem a ver com potencial, paixão e renda, com a emoção.

OS ANOS DE SILÊNCIO

Imagine um cenário em que o talento seria o veículo, a paixão seria o combustível, e a renda seria a estrada. Se você tem um veículo potente (talento) e uma estrada reta e pavimentada (renda), mas tem pouco ou nenhum combustível (paixão), não irá muito longe. Você precisa dos três componentes, em perfeita harmonia, para obter o melhor desempenho possível.

O talento, por si só, é incapaz de gerar o fôlego e a determinação para atravessar os anos de silêncio. A prática repetitiva, sem talento subjacente, satura as pessoas antes que obtenham resultados satisfatórios. Por outro lado, melhorar em qualquer atividade, mesmo que você tenha talento, requer persistência. Para resistir à tentação de relaxar, você precisa de combustível, de paixão. Você necessita, ainda, de um meio de onde tirar a energia que utilizará durante o processo de melhoria, e essa é a função do estímulo. Além do talento, você precisa estar apaixonado pelo que faz e ter um estímulo para manter a paixão e o talento numa direção que desafie diariamente sua zona de conforto. Em outras palavras, para sobreviver aos anos de silêncio, você precisa construir sua carreira no ponto exato onde os três fatores — talento, paixão e renda — convergem.

Para compreender como isso se aplica, vamos analisar o início da carreira de Bill Joy e Bill Gates. Bill Joy fundou a empresa Sun Microsystems, responsável pelo aprimoramento dos programas Java e Unix. Joy é uma das pessoas mais influentes na trajetória da computação moderna. Frequentemente, ele é considerado o Thomas Edison da internet. Quando Joy ingressou na Universidade de Michigan, no início da década de 1970, um computador era um monstro que custava cerca de 1 milhão de dólares. Por isso, era raro. Quando alguém encontrava um, o acesso era muito restrito e difícil. Joy havia escolhido a Universidade de Michigan para estudar matemática, mas foi seduzido pela computação. O local, na época, tinha um dos cursos de ciência da computação mais avançados do mundo. Mesmo assim, os programas de computador ainda eram criados em folhas de cartolina. As linhas de código eram marcadas com um furador. Programas complexos incluíam às vezes milhares de cartões. Quando um programa estava completo, o programador tinha de entregar os cartões furados a um operador, que então o executava.

Em função da raridade dos computadores, isso, na maioria das vezes, demorava dias, ou seja, a programação em si era altamente tediosa. Mas não para Bill Joy, que tinha talento, paixão e estímulo. Ele descobriu, com um de seus colegas, uma forma de fraudar o controle de tempo no uso dos computadores. Sem limite de tempo, Joy passava as noites na sala de programação. "Em Michigan, eu programava durante oito a dez horas por dia", lembrou ele. Mais tarde, quando foi para Berkeley, fazia isso dia e noite: "Ficava acordado até duas ou três horas da madrugada, assistindo a filmes antigos e programando. Essa trajetória durou cinco anos".

O que aconteceu com Bill Gates não foi muito diferente. Ele teve acesso ao primeiro computador em 1968, quando estava no nono ano do ensino fundamental. A partir de então, sua vida passou a girar em torno da computação. "Era minha obsessão. Eu faltava às aulas de educação física. Passava as noites diante de um computador. Trabalhava com programação nos fins de semana", contou ele mais tarde. Entre 15 e 16 anos, numa época em que a maioria de seus colegas apenas sonhava com computadores, Bill fazia qualquer coisa, legal ou ilegal, para acessar um computador. "Houve um episódio em que Paul Allen [que mais tarde se tornou sócio de Gates] e eu nos encrencamos por roubar uma série de senhas e derrubar o sistema. Fomos punidos. Não pude usar o computador durante todo o verão", confessou ele. Mas Gates não se entregou. Dias depois, descobriu um computador que podia ser usado de graça na Universidade de Washington. "Eles tinham umas máquinas no centro médico e no departamento de física. Ficavam ligadas 24 horas, mas estavam sempre ocupadas, exceto entre três e seis horas da manhã", lembrou Bill Gates. Nessa época, ele dormia até as duas horas, levantava, saía de casa escondido e ia a pé ou de ônibus até a universidade. Então, dava um jeito de conseguir um computador vago e ficava mexendo nele até os alunos chegarem e ocuparem as máquinas outra vez. Ele voltava para casa e dormia até a hora de ir para a escola.

É indiscutível que tanto Joy como Gates possuíam talento para a informática, mas não foi somente o talento que os tornou tão excepcionais. É preciso paixão e estímulo para acordar de madrugada e deslocar-se até uma universidade distante para poder usar um computador por algumas horas e depois voltar para casa e dormir novamente antes de ir para a escola. Em outras palavras, Joy e Gates identificaram seu talento e transformaram-no numa habilidade por meio do esforço. Ambos investiram na construção e no desenvolvimento de conhecimento específico pelo uso de técnicas. Além disso, tiveram a determinação necessária para suportar um longo período de prática.

Para os dois, a computação foi o ponto de convergência de talento, paixão e renda. A intersecção desses três fatores não leva apenas ao *tenho de fazer isso*, mas também ao *gosto de fazer isso*. Essa parece ser a história por trás de cada pessoa que pode ser considerada genial. Imagine Bill Gates em sua adolescência, levantando no meio da madrugada e saindo discretamente de casa para ir mexer nos computadores de uma universidade. Parece não haver nada de genial aí além da dedicação. Esse processo de agir, aprender e aperfeiçoar, por mais desajeitado que possa ser, é a essência da vida realmente produtiva. É um processo que lhe pede para ser corajoso, perspicaz, e, acima de tudo, perseguir seu sonho incansavelmente, a despeito das inúmeras influências que tentam afastá-lo dele.

Sob qualquer ponto de vista, não há a possibilidade de imaginar que Bill Gates fez o que fez ao longo da adolescência apenas para se tornar um magnata da computação. Seu estímulo era outro e, com toda certeza, involuntário. A força que impulsiona as pessoas, como no caso de Gates, a levantar-se de madrugada e fugir de casa para mexer nos computadores da universidade é um magnetismo que vai muito além da fama ou do retorno financeiro. Esse magnetismo vem de dentro, da necessidade de aprimorar o talento. O impulso de atuar sobre o talento e a paixão é mais intenso do que qualquer recompensa externa, como reconhecimento, dinheiro ou fama. Por isso, se quisermos ter uma vida plena de sucesso e felicidade, é para esse apelo interior que devemos dar atenção.

Quando agimos dentro da Lei da tripla convergência, há um fluxo de energia forte e, por mais pesada e intensa que a prática seja, nosso cérebro dispara uma sensação de prazer e satisfação que nos estimula cada vez mais. Foi essa sensação que permitiu a Lennon, McCartney e Harrison suportarem doze horas de apresentações diárias em Hamburgo e, ainda por cima, saírem satisfeitos de lá. Mas pense em Stuart Sutcliffe, o amigo que Lennon convenceu a comprar um baixo com o dinheiro que havia recebido com a venda de uma tela. O que aconteceu com ele? Ele foi com a banda para Hamburgo. No entanto, em agosto de 1961, reclamando de cansaço e falta de motivação, largou o grupo e voltou a se dedicar à pintura. Nas intermináveis noitadas de doze horas nas boates de Hamburgo, Lennon, Harrison e McCartney desenvolviam seu talento. Para Stuart, no entanto, a prática excessiva, fora do campo das suas habilidades, drenou sua energia, fazendo com que ele desistisse da banda. Seu talento, sua paixão e seu estímulo eram outros. Hoje, apesar da sua morte prematura, ele é tão lembrado por sua arte quanto por sua participação nos Beatles.

Essa é a diferença básica entre a prática alinhada com a Lei da tripla convergência e outras práticas que não se baseiam nela. Em suma, é o que faz com que algumas pessoas superem longos anos de prática e outras, não. A dedicação só funciona se você tem talento, paixão e estímulo pelo que faz. Sem esses três ingredientes, a dedicação torna-se penosa demais. Se sua paixão e seu estímulo não tem seu talento como base, por mais que o treinamento seja bem concebido, seus movimentos continuarão convulsos e desconexos. Você pode praticar sem parar, mas a ação parecerá artificial e insatisfatória. Nesse caso, será cada vez mais difícil convencer-se a tentar de novo. Você ficará irritado e confuso e, algum dia, irá se recusar a continuar.

Um exemplo bem claro desse processo está na história das irmãs Polgár, analisada no capítulo 1. Embora a prática tenha feito das três irmãs boas profissionais no xadrez, elas nunca conquistaram o título máximo e desistiram muito cedo de suas carreiras. Elas tinham alguns ingredientes necessários para o desenvolvimento, mas faltavam outros. Esse fator também responde a outra pergunta importante feita no início deste livro: por que algumas pessoas ao nosso redor exercem a mesma atividade durante anos sem melhorar? Isso acontece porque não constroem sua profissão sobre seu talento natural. A prática dá-lhes consideráveis avanços no início de sua carreira. Depois, tendo alcançado o limite de suas habilidades, elas estagnam em determinado patamar. Uma vez que atingiram esse limite, mais anos de trabalho não as tornarão melhores.

Os anos de silêncio

Não importa o tamanho de seu conhecimento, da sua inteligência, do seu carisma, o talento, como qualquer ação da natureza, precisa de um tempo para se desenvolver. Da mesma forma como não se pode apressar o amadurecimento de uma fruta sem afetar seu sabor, o talento também precisa de um estágio de amadurecimento.

Ao longo deste livro, analisamos uma série de histórias de pessoas que se concentraram em seu talento e alcançaram resultados extraordinários. Em todos esses casos, de Elizabeth Gibson, que seguindo seu instinto salvou do lixo uma tela de 1 milhão de dólares, a Madre Teresa de Calcutá, Sylvester Stallone, Barack Obama, Gisele Bündchen e empresas como Toyota, Southwest Airlines e Walmart, há um traço em comum: o longo, lento e gradativo desenvolvimento do potencial. Stallone, por exemplo, não acordou, certa manhã, como um ator famoso. Ao contrário, ele começou por conta própria, batendo de porta em porta, de agência em agência, em busca de uma oportunidade. Retornou a algumas agências mais de uma dezena de vezes sem a mínima esperança de sucesso. De tanto avaliar papéis de certos atores, ele se familiarizou com os roteiros de filmes. Buscando uma forma de desenvolver seu talento, e também uma abordagem mais inteligente, ele passou a escrever roteiros. Em suma, ele concentrou todos os seus recursos e esforços, ao longo de quase dez anos, para desenvolver um talento que no início parecia frágil.

Esse estágio, os anos de silêncio, é quase sempre longo, de solidão, na qual só você acredita no que está fazendo. Por isso, ao longo desses anos, você precisa ser seu próprio estímulo, alimentar-se com suas próprias crenças, com sua própria energia. E isso só será possível se a chama de um talento natural estiver ardendo dentro de você. Os anos de silêncio representam, basicamente, os primeiros quilômetros da jornada. Um período em que aprendemos a dar os primeiros passos, em que temos tempo para cair e levantar tantas vezes quanto for necessário e, dessa forma, aprender a conviver com a ideia do sucesso sem que sejamos enfeitiçados por ela. O processo é simples: você começa com a fé de que possui um talento, descobre esse talento, cria um propósito fundamentado nos princípios da Lei da tripla convergência e, ao longo dos anos de silêncio, ajusta suas convicções, desenvolve um estado mental coerente com o sucesso e amadurece a cada dia até perceber que esse é o princípio natural da vida. A partir de então, a vida flui de forma natural.

Se é simples assim, por que tão poucas pessoas seguem esse processo? Porque a forma como queremos desenvolver nosso talento é outra. Queremos que tudo esteja numa linha reta, que as coisas aconteçam de maneira clara e segura desde o princípio, mas raramente isso é possível. As pessoas bem-sucedidas, ao contrário, constroem uma visão clara do que querem, mantêm o foco nesse propósito e seguem adiante. Dizer a Gisele que ela tinha um nariz muito grande não afetou sua autoestima. Ela apenas tratou isso como uma informação e usou-a para estudar as orientações dos fotógrafos. Dizer a Stallone que ele tinha cara de bobo levou-o a focar-se em papéis nos quais ele pudesse usar sua fisionomia de maneira mais apropriada. A recusa de inúmeras editoras aos textos de Elizabeth Gilbert fez com que ela escrevesse, viajasse e desenvolvesse seu talento de uma forma totalmente incomum. Tanto Stallone como Elizabeth perceberam seu talento, mas também compreenderam que ele precisava ser desenvolvido, aperfeiçoado e adequado. E fizeram isso ao longo de anos e anos de prática.

Se estivermos no caminho certo, as circunstâncias externas, na verdade, interessam pouco. Quanto maior a resistência externa, maior será nosso fortalecimento interno. Isso quer dizer que o tempo gasto no início, com uma situação que não contribui para nossa jornada, retornará em vantagens mais à frente. Particularmente, lembro-me dos meus anos de silêncio, quando ouvi Valdir Bündchen dizer: "Jacob, vamos treinar com argolas de aço nos tornozelos. Mais tarde, quando retirarmos as argolas, enquanto os outros correrem, nós voaremos". Essa prática, porém, não se resume à simples repetição de uma tarefa. Ela segue um processo por meio do qual desenvolvemos nosso talento ao usar conhecimentos específicos e técnicas.

Os três estágios da prática deliberada

O processo de desenvolvimento da prática deliberada é idêntico para todas as pessoas. Para entendê-lo melhor, imagine três círculos concêntricos. Vamos chamar o círculo interno de zona de conforto; o do meio, zona de aprendizagem; e o externo, zona do medo. Esses círculos mostram a evolução do conhecimento por meio da prática deliberada. Ela se desenvolve em três estágios, definidos como inicial, intermediário e final. No capítulo 4, sobre as três regras do primeiro quilômetro — criar imunidade à rejeição, entender o paradoxo da apatia e evitar o erro da rejeição —, eu disse que a maioria das pessoas desiste de seu propósito antes de concluir o primeiro quilômetro. Também analisei os principais erros cometidos pelas pessoas no início do processo de desenvolvimento de seu talento e os motivos que as levam a desistir. Por que o primeiro quilômetro é tão importante?

Círculo 1: estágio inicial da prática deliberada

O primeiro quilômetro está representado nesse círculo. No início de nossa jornada, mesmo dotados de um talento extraordinário, não temos conhecimento nem técnica. Estamos numa zona de conforto estreita, e a zona de aprendizagem também é pequena. Com pouco conhecimento e sem o domínio de técnicas que permitam a execução do talento, o medo do desconhecido domina a maior parte do nosso círculo. Considere o exemplo de Gisele: no início da carreira, ela não tinha conhecimento nem técnica. A única coisa com a qual realmente podia contar era seu talento, sua paixão pelo trabalho e o estímulo produzido pela necessidade de desenvolver esse talento. A zona de conforto, na qual ela se sentia bem, no entanto, era muito estreita. Ela se restringia à sua família, suas amigas e, talvez, à segurança que ela obtinha do seu talento. Ao decidir desenvolvê-lo, ela teve de romper toda a zona de conforto e mergulhar num mundo completamente desconhecido em busca de técnica e conhecimento. É por isso que o primeiro quilômetro é tão crucial, pois representa o estágio em que somos arrancados da zona de conforto e lançados diretamente na zona do medo. Essa atitude exige muito esforço.

Círculo 2: estágio intermediário da prática deliberada

Uma vez lançados na zona do medo, nossa tendência é querer retornar para a zona de conforto. Muitos fazem exatamente isso. No entanto, se permanecermos na zona do medo por tempo suficiente, iremos adquirir conhecimento e desenvolver técnicas que permitirão a manifestação do nosso potencial. Esse processo ampliará a zona de aprendizagem e, ao mesmo tempo, a zona de conforto. Por outro lado, a zona do medo começará a encolher. A essa altura, estamos no segundo estágio, chamado de intermediário. Na carreira de Gisele, esse estágio é representado pelos primeiros contratos. Ela já havia superado a fase das recusas, mas sua carreira ainda não estava consolidada.

Nesse período, estamos mais confiantes e a pleno vapor. A paixão pela carreira nos impulsiona a buscar coisas novas constantemente. Sentimo-nos seguros e confortáveis com a profissão e queremos ousar. Passamos a viver, na maior parte do tempo, na margem entre a zona de aprendizagem e a zona do medo, e é provável que oscilemos entre as duas regiões. É nessa margem que está a aventura, a adrenalina, o desafio que impulsiona as pessoas bem-sucedidas. Lentamente, a prática deliberada reforça cada vez mais a zona de aprendizagem e amplia a zona de conforto.

No terceiro e último estágio, a zona de aprendizagem se amplia e se confunde com a zona do medo. É quando a carreira toma dimensões sólidas.

Círculo 3: estágio final da prática deliberada

Anular a zona do medo, alcançando o terceiro estágio, é a única coisa que nos torna livres, mas isso só é possível quando temos um propósito claro em nossa mente. Quando ele não existe, vivemos na margem entre a zona de conforto e a zona de aprendizagem, sem desafiar a zona do medo. Nesse estágio, aprendemos coisas novas todos os dias, mas é um conhecimento sem objetivo específico, que não é canalizado para determinado fim e, por isso, não se torna uma ferramenta na conquista da zona do medo. Quando permanecemos entre a zona de conforto e a zona de aprendizagem, desenvolvemos apenas parte do nosso potencial, e os resultados também serão parciais. Sem um propósito claro, toda prática, mesmo que esteja embasada sobre talento e paixão, será apenas um hobby. O progresso só é possível quando definimos um propósito que provoca uma imersão profunda e intensa na zona do medo. É nela que passamos os anos de silêncio, desenvolvendo nosso talento por meio da prática deliberada.

O ponto final da questão

Se olharmos de perto a formação dos Beatles, e de outras pessoas reconhecidamente talentosas e geniais, poderemos alterar de forma drástica as convicções que temos sobre sucesso, talento e realização pessoal. Olhar de perto o modo como essas pessoas desenvolveram sua genialidade o levará a compreender que todos os seres humanos nascem com a mesma capacidade e que não existe injustiça na natureza. Se você compreender isso, com essa mudança sutil na direção certa, poderá mudar muita coisa. As pessoas que alcançam sucesso extraordinário não são favorecidas pela natureza: elas decidem, de maneira deliberada, seguir um caminho natural. Se olharmos para o mundo à nossa volta, ele talvez parecerá um lugar misterioso, incompreensível, implacável e injusto, onde uns nascem com privilégios e vantagens que outros nunca poderão sonhar em alcançar. Mas o mundo não é assim. O universo é justo e imparcial. O que precisamos compreender é que ele tem seus próprios princípios, que são imutáveis, infalíveis e iguais para todos. Se quisermos usufruir desses princípios, precisaremos dar uma oportunidade para que eles possam se revelar a nós e conduzir-nos, pela intuição, até onde o impulso natural insistir em nos levar. Precisamos passar a aceitar o óbvio.

Nós temos, porém, uma tendência instintiva a desdenhar processos lentos. Não costumamos ter tolerância para esse tipo de desenvolvimento. Existe algo em nós que nos diz que se não avançamos a certa velocidade é porque não temos os requisitos necessários. Outro problema é a tendência a querer avançar por atalhos, e, com isso, tentar provar nossa capacidade a nós mesmos e aos outros. Tentamos, a todo custo, encurtar caminhos, ignorando etapas naturais do processo de amadurecimento. Essas duas falsas convicções nos impedem de desenvolver nosso talento, mesmo após detectá-lo e sentir o impulso de desenvolvê-lo. Encontramos limites abruptos para a quantidade de esforço e tempo que decidimos investir em algo sem obter retorno. Decidimos desistir antes. Saltamos do barco na primeira tempestade enquanto ainda é possível ver a praia. O que vimos nos exemplos e nos estudos analisados neste livro, no entanto, foi o oposto. Todas as pessoas que realizaram coisas memoráveis, que se tornaram marcos na história da humanidade, passaram por um longo período de silêncio. É um erro pensar que as coisas caem do céu para alguns, enquanto outros, independentemente do quanto se dediquem, nunca atingirão nada além da mediocridade. Se quisermos tirar proveito das nossas habilidades, precisamos remodelar essa forma de pensar. Sylvester Stallone, Elizabeth Gilbert e Gisele Bündchen, como tantos outros, obtiveram sucesso porque avançaram no escuro. Quem teria adivinhado que Stallone conseguiria entrar no cinema pela estreita porta de roteirista? Ou quem poderia ter predito que o fim do casamento, a renúncia à segurança que Elizabeth Gilbert criara para si mesma durante mais de uma década, lhe traria a paz e o conforto que ela procurava?

Ignorar a zona do medo e acomodar-se na estreita zona de conforto do estágio inicial é uma expressão da nossa peculiar necessidade de segurança. Há, em nossa mente, sob certo aspecto, um muro que separa aquilo que consideramos seguro daquilo que nos parece perigoso. Temos a crença de que o sucesso e o talento deveriam nos dar exatamente a segurança que buscamos, de que o caminho para o sucesso deve ser reto, iluminado e sinalizado, mas ele não é assim. Ele é nebuloso, cheio de curvas e imprevistos e sem sinalização alguma. Na verdade, ele precisa ser criado com base na nossa intuição. Precisamos, a exemplo das pessoas que analisamos ao longo deste livro, derrubar o muro mental que separa tudo o que pensamos ser perigoso.

Precisamos esquecer a convicção de que as pessoas de sucesso possuem mais talento e mais inteligência e de que nasceram com um brilho superior ao nosso. Warren Buffett está certo: não há diferença entre as pessoas que alcançam o sucesso e aquelas que não o alcançam. A diferença está apenas na forma de agir ao longo da vida. As pessoas que desenvolvem seu talento não são diferentes de nós. Elas apenas agem de forma diferente. Enquanto nós alimentamos as falsas convicções de que a segurança resulta da compreensão sistêmica de cada passo que damos e de que cada esforço precisa ser altamente recompensado de forma imediata, essas pessoas desafiam seu senso de segurança e testam deliberadamente seus medos. Elas compreendem que todo esforço inicial se pagará na forma de crescimento e expansão interior. Sem os palpiteiros que disseram a Gisele que seu nariz era muito grande e que seu jeito de caminhar era estranho, sem os oito meses de recusas que testaram sua persistência, ela certamente não seria quem é.

AGRADECIMENTOS

O óbvio que ignoramos nasceu muito antes de aparecer no papel. Ao longo de toda a minha vida, tive a alegria de conviver com pessoas maravilhosas que me ensinaram muito além do necessário para ser feliz. Sem elas, eu não seria quem hoje sou. Na adolescência, uma das minhas maiores influências foi o professor Alfredo Backes. Quando eu não tinha acesso à biblioteca, era ele quem fazia os livros chegarem até mim. Certamente, ele nunca saberá o quanto lhe sou grato por isso.

Ainda no topo da lista, estão os professores Luis Alles, Aloísio Ruedel, Remi Schorn e Ramão Hilgert, que foram minha influência acadêmica, geniais na árdua tarefa de dosar um pouco a minha eufórica paixão com a racionalidade da lógica filosófica. Sem eles, eu não teria sido capaz de seguir os caminhos da investigação científica, maior sentido da minha vida. Rafael Backes, Milton Gerhardt e Fábio Dal Pai foram grandes colegas e exemplos nessa difícil tarefa. E, no meio de tantos grandes, Gilmar Ost foi um gigante. Suas atitudes foram essenciais na minha carreira literária. Desde minhas primeiras aspirações como escritor, Jean Marcel Petry inspira-me com sua energia e sua inteligência. O mundo seria muito melhor se existissem mais pessoas como eles.

Ao me mudar para os Estados Unidos, por um desses inexplicáveis desejos do universo, conheci Willian Tonini. Ele foi o primeiro gênio real que conheci, e, se não existisse nenhum argumento que provasse a existência do talento nato, Willian, por si só, seria prova suficiente para colocar um ponto final na questão. Em longos passeios por Nova York, ou mesmo pelo interior de Nova Jersey, nasceram muitas questões abordadas neste livro. Hoje, ele vive em Londres com sua esposa e filho. Sem sua companhia, escrever tornou-se um dos poucos meios de compensar tamanha ausência.

Na fase que envolveu a gênese deste livro, Diana Lopes, Leila Tavares, Everton Maciel, Nice Richter e Paulo Heitor Fernandes foram essenciais. Suas observações após a leitura dos primeiros rascunhos deram solidez e concretude ao fundamento do livro. Fábio Rodrigo Lasta foi eficiente e eficaz como só os campeões sabem ser. Patrícia Kolling, Morgana Jeske de Oliveira, Jairo Borges Madril, Lina Mischaelski, Afonso Wobeto, Nery Taborda da Silva, Carlos Nasi e Alcides Vicini, cada um ao seu jeito, foram imprescindíveis ao longo dessa jornada.

No que diz respeito ao livro, dois nomes, porém, destacam-se: Paulo Ricardo Barbosa e Pedro Almeida. Escrever simplesmente não teria sido possível sem pessoas especiais como eles. Paulo foi imbatível na missão de questionar, debater e dissecar, durante longas madrugadas, cada um dos conceitos abordados neste livro. Pedro Almeida, por sua vez, começou como meu *coach*, mas terminou como meu ídolo. Não é por menos: ele foi meu conselheiro, aliado, professor e amigo, e isso é muito mais do que qualquer escritor pode querer de outro profissional da área.

Por fim, sou profundamente grato à família Bündchen, principalmente ao Valdir, que ao longo de quase duas décadas de convivência contagiou-me com a energia do sucesso e da felicidade. Incansável como apenas os grandes mestres sabem ser, com generosas doses de paciência e sabedoria, ele, sem dúvida, moldou o que há de melhor em mim.

AGRADECIMENTOS

Por tudo isso, dizer que a autoria deste livro é minha é muito mais uma questão formal do que a realidade. Obrigado a todos vocês. Porém, a parte mais importante é você, leitor. Obrigado por partilhar comigo esta experiência fascinante de compreender melhor o mundo e seus enigmas mais obscuros.

NOTAS

Capítulo 1: O segredo por trás da beleza

O relato da entrevista de Paulo Francis com Gisele Bündchen aparece em reportagem de Jorge Pontual e João Luiz Vieira. A reportagem foi publicada pela revista *Época*, na edição de 21 de junho de 1999.

Carol Vogel escreveu sobre a história de Elizabeth Gibson e sobre o quadro *Tres Personajes* no *The New York Times*, na edição de 23 de outubro de 2007.

A história de Barack Obama é contada nos livros do próprio Barack Obama: *Change We Can Believe In: Barack Obama's Plan to Renew America's Promise* (Nova York: Three Rivers Press, 2008), *A audácia da esperança* (São Paulo: Larousse, 2007) e *A origem dos meus sonhos* (São Paulo: Gente, 2008).

Gisele Bündchen falou sobre sua infância à revista *Vanity Fair*, na edição n. 525, de maio de 2009.

As opiniões de Steven Meisel, Bob Wolfenson e Donatella Versace sobre o trabalho de Gisele foram inicialmente publicadas na revista *Veja*, edição 1.626, de 1º de dezembro de 1999.

NOTAS

A história do László Polgár está no artigo "The Grandmaster Experiment", de Carlin Flora, publicado na revista *Psychology Today Magazine*, de julho e agosto de 2005. Geoff Colvin também citou a história no livro *Desafiando o talento: mitos e verdades sobre o sucesso* (São Paulo: Globo, 2009, p. 100-103).

Uma explicação completa sobre o conceito de talento pode ser encontrada no livro *Descubra seus pontos fortes*, de Marcus Buckingham e Donald O. Clifton. (Rio de Janeiro: Sextante, 2006).

Os conceitos sobre o desenvolvimento do cérebro e o papel das sinapses na formação cognitiva humana estão no livro *The Myth of the First Three Years*, de John Bruer (Nova York: The Free Press, 1999). As citações são das páginas 75, 68, 76 e 89, respectivamente.

As citações e os conceitos de Valdir Bündchen que aparecem no livro foram extraídos do seu *Como construir a si mesmo* (Porto Alegre: AGE, 1998), e também concedidos pessoalmente ao autor.

Capítulo 2: A Síndrome do Excesso de Oportunidades

A história completa de Viktor Frankl, os horrores e as humilhações sofridas nos campos de concentração nazista estão na sua autobiografia *Men's Search for Meaning* (Boston: Beacon Press, 2006) As citações estão na página 33.

Para obter mais detalhes sobre a experiência realizada por Philip Zimbardo e equipe, consulte o texto de Philip Zimbardo, Craig Haney e Curtis Banks "Interpersonal Dynamics in a Simulated Prison", publicado em 1973 no *International Journal of Criminology and Penology* (p. 73). Malcolm Gladwell também abordou o estudo em seu livro *O ponto da virada* (Rio de Janeiro: Sextante, 2009, p. 148-150).

O estudo de Eldar Shafir e Amos Tversky foi publicado no artigo "The Disjunction Effect in Choice under Uncertainty", na revista *Psychological Science*, número 3, de 1992.

A narrativa de Herbert Kelleher e sua receita para administrar a Southwest Airlines foram originalmente contadas por James Carville e Paul Bengala no livro *Buck Up, Suck Up, and Come Back When You Foul Up* (Nova York: Simon & Schuster, 2002). Depois, foram recontadas pelos irmãos Chip e Dan Heath no livro *Ideias que colam* (Rio de Janeiro: Campus, 2007, p. 26 e 27).

Para obter mais detalhes sobre a teoria de Stephen R. Covey, consultar o segundo hábito de *Os sete hábitos das pessoas altamente eficazes* (Rio de Janeiro: Best-Seller, 2007). As citações estão na página 120.

Os cuidados necessários ao estabelecer uma meta foram abordados por Ram Charan no livro *Know-How* (Nova York: Crown Publishing Group, 2007).

Lou Marinoff escreveu sobre a relação entre propósito e significado no livro *Mais Platão, menos Prozac* (Rio de Janeiro: Record, 2002). As citações estão na página 253.

Os inúmeros estudos realizados por Mark Dadds e por sua equipe junto ao Departamento de Psicologia da Universidade New South Wales, em Sydney, na Austrália, podem ser encontrados neste endereço eletrônico: <http://sydney.edu.au/science/people/mark.dadds.php>.

Fernando Morais escreveu *O mago* (São Paulo: Planeta, 2009). As citações de Morais foram extraídas da entrevista concedida pelo autor a Luciano Araújo, publicada na revista *Último Segundo*, na edição de 31 de maio de 2009.

A teoria da Síndrome do Excesso de Oportunidades foi originalmente defendida por Jim Collins no livro *Good to Great* (Nova York: Harper Collins, 2001). Collins afirmou que ter uma oportunidade única na vida não tem importância alguma se essa oportunidade não estiver alinhada com o propósito central de uma empresa ou mesmo de uma pessoa. A tese foi detalhada por Collins no capítulo 5, "The Hedgehog Concept".

Parte das análises sobre as consequências do discurso de John Kennedy no desenvolvimento cultural dos Estados Unidos a partir de 1960 foi abordada por Thomas Friedman no seu livro *The World is Flat* (Nova York: Picador, 2007). Recolhi as citações das páginas 376 a 379.

NOTAS

Capítulo 3: A Lei da tripla convergência

Solomon Asch descreve a experiência sobre o poder da influência externa nas nossas decisões no texto "Opinions on Social Pressure", publicado no livro *Readings about the Social Animal*, editado por Joshua e Elliot Aronson (Nova York: Worth Publishers, 2008). O texto aparece nas páginas 17 a 26.

Elizabeth Gilbert conta a história da sua vida em *Comer, rezar, amar: a busca de uma mulher por todas as coisas da vida na Itália, na Índia e na Indonésia* (Rio de Janeiro: Objetiva, 2008). As citações e comentários sobre sua carreira de escritora estão no texto "Some Thoughts on Writing", publicado no site pessoal da autora, disponível em: <www.elizabethgilbert.com/thoughts-on-writing/>.

A ideia original do conceito dos três círculos foi inspirada no livro *Good to Great*, de Jim Collins (Nova York: Harper Collins, 2001). No quinto capítulo, Collins desenvolve um conceito sobre os três elementos fundamentais para o sucesso de uma empresa: paixão, renda e aquilo em que a empresa pode ser a melhor no mundo.

A comparação da trajetória das três varejistas (Walmart, Target e Sears) foi feita originalmente por Ram Charan e está no livro *Know-How* (Nova York: Crown Business, 2007, p. 27-29). A citação de Alan Lacy foi extraída da mesma obra e aparece na página 29.

Mônica Monteiro falou sobre a fase inicial da carreira de Gisele Bündchen em uma matéria de Fernanda Cirenza publicada na revista *Marie Claire*, n. 133, de abril de 2002.

Capítulo 4: As três regras do primeiro quilômetro

A história de Sylvester Stallone está no site pessoal do ator (disponível em: <www.sylvesterstallone.com>). Chris Nashawaty contou outros detalhes da carreira de Stallone no artigo "The Right Hook", publicado na revista *EW.com*, na edição de 19 de fevereiro de 2002. As citações de Winkler e Chartoff foram extraídas deste artigo.

Gisele Bündchen contou a história do furto no metrô de São Paulo numa reportagem de Gisele Vitória e Daniele Mendes publicada na revista *IstoÉ Gente,* na edição de 30 de julho de 2001. Outras citações de Gisele que aparecem nesse capítulo foram extraídas de uma reportagem da revista inglesa *Vanity Fair,* publicada na edição de maio de 2009.

Os resultados do estudo de Marco Antonio De Tommaso foram inicialmente publicados por Raquel Verano em uma matéria para a revista *Veja,* n. 1.668, de 27 de setembro de 2000, assinada por Bel Moherdaui. Detalhes do estudo também podem ser conferidos em: <www.tommaso.psc.br>.

A história de Albert Einstein está em *Einstein: his life and universe,* de Walter Isaacson (Nova York: Simon & Schuster, 2007). As citações foram extraídas das páginas 31, 34 e 35, respectivamente. Michael Howe analisou a carreira de Einstein no livro *Genius Explained* (Cambridge: Cambridge University Press, 1999). Citei informações das páginas 130 a 156.

Para obter uma ideia mais detalhada sobre como funciona o Princípio de Pareto, recomendo o livro de Richard Koch *O princípio 80/20: o segredo para conseguir mais com menos nos negócios e na vida* (São Paulo: Gutenberg, 2015). As dificuldades de lidar com progressões como o Princípio de Pareto foram analisadas por Malcolm Gladwell no seu livro *O ponto da virada* (Rio de Janeiro: Sextante, 2009, p. 25).

A jornalista americana Peggy Noonan escreveu o artigo "A Combatant In The World", no qual analisou o discurso de Madre Teresa de Calcutá no National Prayer Breakfast, realizado em fevereiro de 1994. O artigo foi publicado na revista *Time* de 15 de setembro de 1997.

As cartas de Madre Teresa de Calcutá, nas quais revela sua crise espiritual, foram publicadas por Brian Kolodiejchuk no livro *Venha, seja minha luz* (Rio de Janeiro: Petra, 2016).

A experiência de Jane Elliott, realizada na eschola de ensino fundamental de Riceville, Iowa, nos Estados Unidos, está no ensaio "Blue-Eyes, Brown-Eyes: the experiment that shocked the nation and turned a town against its most famous daughter", de Stephen Bloom, publicado na revista *Smithsonian*, na edição de setembro de 2005.

Costanza Pascolato e Milly Lacombe desenvolveram uma pesquisa intensa em que analisam a trajetória das principais modelos brasileiras no Brasil e no exterior. Essa pesquisa está no livro *Como ser uma modelo de sucesso* (São Paulo: Jaboticaba, 2004). Costanza faz a analogia entre a exposição da imagem e do corpo das modelos e a exposição de uma peça de roupa numa vitrine.

A citação de Lya Luft está no seu livro *Perdas & Ganhos* (Rio de Janeiro: Record, 2004, p. 26).

Capítulo 5: A Lição de Delfos

A biografia mais completa de Kurt Cobain está no livro de Charles R. Cross intitulado *Mais pesado que o céu: uma biografia de Kurt Cobain* (São Paulo: Globo, 2002). Ao longo de quatro anos, Cross realizou mais de quatrocentas entrevistas e teve livre acesso a diários, letras e fotos do cantor. Nas mais de quatrocentas páginas do livro, Cross reconstitui a infância de Cobain, a ascensão meteórica e sua conturbada relação com Courtney Love.

A análise da Teoria da cognição de Santiago, elaborada pelos cientistas Humberto Maturana e Francisco Varella, está no livro *A teia da vida*, de Fritjof Capra (São Paulo: Cultrix, 1997).

O estudo de Dan Ariely sobre os sites de relacionamento está no livro de Steven Levitt e Stephen J. Dubner *Freakonomics: o lado oculto e inesperado de tudo que nos afeta* (Rio de Janeiro: Campus, 2005).

Geralmente, a frase inscrita no templo de Apolo é conhecida apenas como "Conhece-te a ti mesmo". A complementação foi tirada do livro de James Ray *Harmonic Wealth* (Nova York: Hyperion, 2008). Na página 133, Ray afirma: *"The inscription over the Oracle of Delphi in ancient Greece once read: 'Know thyself'. Obliterated by time and known only to a select few, was the rest of that inscription: 'And you will posses the keys to the Universe and the secrets of the gods'"*.

A ideia sobre o filtro mental foi inspirada, em parte, pelo livro de Marcus Buckingham *Primeiro quebre todas as regras* (Rio de Janeiro: Campus, 1999).

As citações de Mônica Monteiro foram publicadas inicialmente em reportagem da revista *Marie Claire*, na edição 133 de abril de 2002, assinada por Fernanda Cirenza.

Dados mais específicos sobre o Estudo de Perfil Pessoal, de Valdir Bündchen, podem ser obtidos em seus livros *Como construir a si mesmo* (Porto Alegre: AGE, 1998) e *Garimpo & lapidação* (Porto Alegre: AGE, 2009).

Gisele Bündchen contou a história do início de seu namoro com Tom Brady em reportagem da revista *Vanity Fair*, na edição de maio de 2009. As citações de Gisele são da mesma fonte.

Capítulo 6: O paradoxo da inteligência

Existem inúmeros artigos e livros que analisam a série de disputas entre Garry Kasparov e o Deep Blue. A IBM mantém uma cobertura completa desses jogos no site <www.research.ibm.com>.

O episódio envolvendo a modelo Gisele Bündchen e ativistas da organização People for the Ethical Treatment of Animals [Pessoas pelo Tratamento Ético dos Animais, em tradução livre], conhecida como Peta, aparece em reportagem da revista *Veja*, na edição 1.779 de 27 de novembro de 2002, assinada por Anna Paula Buchalla e Paula Neiva.

O estudo de Lewis Terman é analisado minuciosamente por Joel Shurkin em *Terman's Kids: The Groudbreaking Study of How the Gifted Grow Up* (Nova York: Little, Brown, 1992). A citação de Terman foi extraída da página 3 dessa mesma obra. Uma avaliação crítica dos resultados obtidos por Terman está no artigo de Gretchen Kreuter "The Vanishing Genius: Lewis Terman and the Stanford Study", publicado originalmente na revista *History of Education Quarterly*, em março de 1962, disponível em: <www.jstor.org>.

NOTAS

O sociólogo russo Pitirim Sorokin fez uma análise da experiência de Terman no seu livro *Fads and foibles in modern sociology and related science* (Chicago: Henry Regnery, 1956).

Os estudos realizados em Harvard e Michigan foram citados e analisados por Daniel Goleman no terceiro capítulo do seu livro *Inteligência emocional* (Rio de Janeiro: Objetiva, 1995). George Vaillant escreveu um livro sobre seu estudo com 95 acadêmicos de Harvard chamado *Adaptation to Life* (Boston: Little, Brown, 1977).

O resultado do estudo de Carol Dweck para avaliar os diferentes tipos de convicção sobre a inteligência e os reflexos que essas convicções causam numa eventual derrota está no artigo "Beliefs that Make Smart People Dumb", publicado no livro *Why smart people can be so stupid*, editado por Robert J. Sternber (New Haven: Yale University Press, 2002, p. 24-39).

Para conhecer a Teoria das Inteligências Múltiplas, veja o livro de Howard Gardner *Cinco mentes para o futuro* (Porto Alegre: Artmed, 2007).

A citação de Howard Gardner foi extraída do livro de Daniel Goleman *Inteligência emocional* (Rio de Janeiro: Objetiva, 1995, p. 37).

Daniel Goleman defende a ideia de que o QI representa apenas 20% dos fatores que determinam o sucesso. Para saber mais, consulte seu livro *Inteligência social: o poder oculto das relações humanas* (Rio de Janeiro: Campus, 2006).

A citação de Clement Markert foi extraída do livro *Clone: os caminhos para Dolly*, de Gina Kolata (Rio de Janeiro: Campus, 1998, p. 102).

Robert Hagstrom escreveu o livro *O jeito Warren Buffett de investir* (São Paulo: Saraiva, 2008). No livro, Hagstrom faz uma análise completa e profunda sobre as principais características de Buffett e como ele desenvolveu sua fortuna. As citações usadas no capítulo foram extraídas deste livro.

Capítulo 7: O poder das convicções

A experiência de Joshua Bell na estação de metrô L'Enfant Plaza aparece no artigo de Gene Weingarten "Pearls Before Breakfast", publicado na *Washington Post Magazine* em 8 de abril de 2007. Monique Cardoso escreveu sobre Joshua Bell no caderno "Cultura" do *Jornal do Brasil*, na edição de 19 de maio de 2009. Sandra Passarinho falou sobre o violinista no *Jornal da Globo* de 18 de junho de 2009.

A história de Barry Marshall e seu colega Robin Warren foi extraída do artigo de Barry Marshall intitulado "Helicobacter Connections", publicado pelo NHMRC Helicobacter Pylori Research Laboratory, de Nedlands, na Austrália, em 8 de dezembro de 2005.

Dan Ariely faz uma análise do desafio da Pepsi no livro *Predictably Irrational* (Nova York: Harper Collins, 2008). A informação aparece na página 166.

Malcolm Gladwell escreveu sobre a cultura da honra no livro *Fora de série* (Rio de Janeiro: Sextante, 2008). David Hackett Fischer escreveu o livro *Albion's seed: four british folkways in America* (Oxford: Oxford University Press, 1989).

O estudo de Charles Gettys está no livro de Chip e Dan Heath *Ideias que colam* (Rio de Janeiro: Campus, 2007).

Os dados da pesquisa do Instituto Gallup citados podem ser conferidos no site <www.gallup.com>.

Capítulo 8: Foco, tempo e o problema do sentido

A história do Lexus, desde a reunião que deu origem à ideia até os lançamentos mais recentes, está no livro de Jonathan Mahler *The Lexus Story* (Nova York: DK Publishing, 2004). Detalhes sobre a concepção da linha de automóveis de luxo da Toyota também podem ser obtidos no site da empresa <disponível em: <www2.toyota.co.jp>.

Malcolm Gladwell aborda a quantidade de espaço em nosso cérebro para distintos tipos de informação no livro *O ponto da virada* (Rio de Janeiro: Sextante, 2009, p. 170).

George Loewenstein, Deborah Small e Jeff Strnad analisaram os motivos pelos quais as pessoas são estimuladas a fazer doações quando sabem quem estão ajudando no artigo "Statistical, Identifiable and Iconic Victims and Perpetrators", publicado no *Stanford Law and Economics Olin Working Paper*, n. 301, de março de 2005.

A entrevista de Gisele Bündchen a Ellen DeGeneres foi ao ar pela emissora NBC, no *The Ellen DeGeneres Show*, em 12 de janeiro de 2006.

Parte das citações de Valdir Bündchen foram extraídas de seu livro *Como construir a si mesmo* (Porto Alegre: AGE, 1998). Outras, principalmente em relação ao Projeto 5, foram reunidas nos inúmeros contatos que tive pessoalmente com Valdir ao longo de mais de quinze anos de convívio.

O jornal inglês *The Daily Mirror* publicou uma ampla matéria sobre o vício de Kate Moss em cocaína na edição de 15 de setembro de 2005, sob o título "Exclusive: Cocaine Kate". A matéria foi assinada por Stephen Moyes.

A prisão de Naomi Campbell no aeroporto em Londres foi noticiada no *Times* em 4 de abril de 2008. O veículo também citou os demais escândalos mencionados neste livro.

A citação de Gisele Bündchen sobre felicidade foi extraída da revista *Vanity Fair*, n. 525, de maio de 2009.

Capítulo 9: O Efeito Pigmaleão

Existem inúmeras publicações sobre o episódio da contaminação de Coca-Cola na Bélgica. Basicamente, usei os arquivos da cobertura realizada pela emissora BBC. O estudo de Ben Nemery foi extraído do artigo "Coke Scare Blamed on Mass Hysteria", divulgado pela BBC na edição de 2 de julho de 1999.

O ÓBVIO QUE IGNORAMOS

Maxwell Maltz fala sobre as experiências envolvendo cirurgia plástica e seus efeitos psicológicos no livro *Psycho-Cybernetics* (Nova York: Pocket Books, 1960).

O nome Efeito Pigmaleão foi inspirado no estudo dos psicólogos americanos Robert Rosenthal e Lenore Jacobson e baseado no livro *Pygmalion in the Classroom* (Nova York: Irvington Publishers, 1992).

A história de Joseph Kennedy foi extraída do livro de Thomas Maier *The Kennedys: America's emerald kings* (Nova York: Basic Books, 2003). As citações de Valdir Bündchen foram concedidas pelo autor.

Existem inúmeros livros que abordam a Lei da atração, um dos mais conhecidos é o livro *O segredo*, de Rhonda Byrne, mas existem versões mais antigas como *The strangest secret*, de Earl Nightingale (Nova York: Merchand Book, 2013); *As a man thinketh*, de James Allen (Mechanicsburg: Tremendous Life Books, 2001); *Your invisible power*, de Genevieve Behrend (Oregon: Rough Draft Printing, 2013); *Thought vibration or the law of attraction in the thought world*, de William W. Atkinson (Nova York: Cosimo Classics, 2006); *Pense e enriqueça*, de Napoleon Hill (Rio de Janeiro: Best-Seller, 2014) e *A ciência de ficar rico*, de Wallace Wattles (Rio de Janeiro: Best-Seller, 2007).

A orientação de Robert Kennedy para Arnold Schwarzenegger sobre não complicar foi extraída da reportagem "Life of Tragedies, Legacy of Service", de David Espo, publicada no jornal americano *Star-Ledger*, na edição de 27 de agosto de 2009.

O estudo, realizado na Universidade de Minnesota por Mark Snyder, Elizabeth Decker Tanke e Ellen Berscheid e intitulado "Social perception and interpersonal behavior: On the sefl-fulfilling nature of social stereotypes", foi publicado no *Journal of Personality and Social Psychology*, v. 35, 1977, p. 656-666.
Os professores Thomas Stanley e William Danko escreveram *The Millionaire Mind* (Kansas City: Andrews McMeel Books, 2001). As citações e a história de Thomas Mann e de David Schwartz estão no mesmo livro.

Os estudos de Charles R. Snyder foram extraídos de dois artigos: "Conceptualizing, Measuring, and Nurturing Hope", no *Journal of Counseling and Development*, 1995, p. 355-360, e "Hope and Optimism", publicado na *Encyclopedia of Human Behavior*, v. 2, Academic Press, 1994, p. 535-542.

Capítulo 10: Os anos de silêncio

Para conferir detalhes da história e formação dos Beatles, leia o livro *Shout!*, de Philip Norman (Nova York: Fireside, 2003). As citações de Norman utilizadas nesse capítulo foram extraídas dessa obra.

A experiência com os músicos na Academia de Música de Berlim foi publicada por K. Anderson Ericsson, Ralf Th. Krampe e Clemens Tesch-Römer no artigo intitulado "The role of deliberate practice in the acquisition of expert performance", no *Psychological Review*, v. 100, n. 3, publicado pela American Psychological Association em 1993 (p. 363-406).

A análise das horas de prática no início da carreira dos Beatles é discutida por Robert W. Weisberg em "Creativity and knowledge: a challenge to theories", publicado em *Handbook of Creativity* sob organização de Robert J. Sternberg (Nova York: Cambridge University Press, 1999). A citação de Weisberg foi tirada da página 233.

A citação de John Lennon sobre a evolução da banda ao longo das temporadas em Hamburgo está na página 122 do livro *Hamburg Days* (Surrey: Genesis Publications, 1999), organizado por Klaus Voormann e Nicholas Roylance, junto com George Harrison e Astrid Kirchherr.

A teoria de John R. Hayes está em *Handbook of Creativity*, organizado por Robert J. Sternberg (Nova York: Cambridge University Press, 1999, p. 230-233).

Michael Howe analisou a carreira de Mozart no livro *Genius Explained* (Cambridge: Cambridge University Press, 1999). A citação aparece na página 3.

A citação de Gisele Bündchen foi retirada de uma matéria da revista *Caras*, publicada na edição 794, ano 16, n. 4.

O levantamento sobre as horas e a quantidade de desfiles realizados por Gisele aparece na reportagem de Anna Paula Buchalla e Paula Neiva publicada na revista *Veja* em 27 de novembro de 2002.

Marcus Buckingham e Donald O. Clifton fazem uma análise completa sobre a pesquisa do Instituto Gallup no livro *Descubra seus pontos fortes* (Rio de Janeiro: Sextante, 2008). As citações estão nas páginas 67, 68 e 69, respectivamente.

Malcolm Gladwell conta a história de Bill Joy e Bill Gates em *Outliers* (Rio de Janeiro: Sextante, 2008, p. 39-67). A citação de Joy está na página 49; a de Bill Gates, na página 55.

Para a história completa sobre os primeiros anos do contato de Bill Gates com a computação leia *Gates: how Microsoft's mogul reinvented an industry and made himself the richest man in América*, de Stephen Manes e Paul Andrews (Nova York: Touchstone, 1994). Retirei as informações dos capítulos 1 a 4.

A citação é de R. W. Weisberg e foi extraída do artigo "Creativity and knowledge: a challenge to theories", do livro *Handbook of Creativity*, organizado por Robert J. Sternberg (Nova York: Cambridge University Press, 1999, p. 233).

A ideia das três zonas de conhecimento foi inspirada na teoria de Noel Tichy citada por Geoff Colvin no livro *Desafiando o talento: mitos e verdades sobre o sucesso* (São Paulo: Globo, 2009). Colvin faz referência a Tichy e às três zonas de conhecimento na página 92.

OUTROS LIVROS DO AUTOR

AS 16 LEIS DO SUCESSO

O livro que mais influenciou líderes e empreendedores em todo o mundo

PODER E MANIPULAÇÃO

Como entender o mundo em vinte lições extraídas de *O Príncipe*, de Maquiavel

SEJA SINGULAR

As incríveis vantagens de ser diferente

ASSINE NOSSA NEWSLETTER E RECEBA
INFORMAÇÕES DE TODOS OS LANÇAMENTOS

www.faroeditorial.com.br

CAMPANHA

Há um grande número de portadores do vírus HIV e de hepatite que não se trata.
Gratuito e sigiloso, fazer o teste de HIV e hepatite é mais rápido do que ler um livro.
FAÇA O TESTE. NÃO FIQUE NA DÚVIDA!

ESTA OBRA FOI IMPRESSA EM JANEIRO DE 2023